GÉRARD TIBERGHIEN

LE PAYS BASQUE

Nere burasoaren oroimenez,
hainbeste herria maite,
Mairu baratzetik zaintzen nauen amari,
Zutak harro aita utzi dautazun
ohorezko makila lekuko.

Photographies

Hervé CHAMPOLLION

Hervé Champollion est représenté par l'agence Top-Rapho, Paris

ÉDITIONS OUEST-FRANCE

Golfe
de Gascogne

Bordeaux

Dax
Luy

St-Vincent-
de-Tyrosse

LANDES

Adour

Peyrehorade

Gave de Pau

Orthez

Adour

Bidouze

Pau

Biarritz

Anglet

Bayonne

Bidache

Bidart

Guéthary

La Bastide-
Clairence

LABOURD

PYRÉNÉES-
ATLANTIQUES

Saleys

Sauveterre-de-Béarn

St-Jean-de-Luz

Ustaritz

Hasparren

Ciboure

Gave d'Oloron

Saison

Hendaye

St-Pée-
sur-Nivelle

Cambo-les-Bains

Irún

St-Palais

Navarrenx

San Sebastian

Ascain

Nivelle

Sare

Iholdy

L'Hôpital-
St-Blaise

La Rhune

Ainhoa

La Nive

Vera de
Bidasoa

Sare

BASSE-NAVARRE

Joos

Bidarray

Mauléon-Licharre

Ossès

Bidouze

St-Étienne-
de-Baïgorry

SOULE

St-Jean-
Pied-de-Port

St-Jean-le-Vieux

Lauribar

Doneztebe

Rio Bidasoa

Vert de Barlanes

Aramits

ESPAGNE

Vallée des Aldudes

Vallée du Lauribar

Massif
des Arbailles

Tardets-
Sorholus

Aldudes

Nive

Gave de Larrau

Roncevaux

Rio Urrobi

Massif
d'Iraty

Larrau

Ste-Engrâce

Rio Irati

Pic d'Anie △
2504

Pays
Basque

Paris

Bordeaux

Toulouse

0

20 km

UN PAYS PASSION

Limité au nord par l'Adour, à l'ouest par l'Océan, à l'est par le Béarn, l'envoûtant Pays basque — Euskal Herria — l'est aussi par ses racines : le peuple et la langue, l'euskara. Remontant à la période préaryenne, elle s'est jouée des influences indo-européennes, se singularisant ultérieurement par une série de subtils dialectes. C'est en fait la frontière la plus naturelle qui soit, les autres bornes ne constituant, somme toute, qu'artifices lancés par l'histoire politique et administrative. Au sud, les hommes ont tracé, entre Bidassoa, Rhune et Anie, une barrière qui ne court pas forcément sur la ligne de crêtes.

Franchis ces plis, passé en Espagne, voici toujours l'Euzkadi ! C'est qu'en effet sept provinces le composent ; quatre sur la gigantesque portion ibérique : Guipuzcoa, Navarre, Biscaye, Alava ; trois sur les 2 960 km² du versant français : Labourd, Basse-Navarre, Soule. Ainsi se définissent les « Sept en Un », Zazpiak bat sous une bannière commune, l'Ikurriña.

Signes chrétiens,
symboles astraux,
décors floraux,
un décor naturel permanent.

L'histoire, toujours elle, séparera longtemps et diversement les destinées des provinces du septentrion. Passés Romains, Vandales, Goths, venus les Vascons — qui écraseront l'arrière-garde de Charlemagne à Roncevaux — les Normands pillent la contrée... En 1023, le **Labourd** est installé vicomté du duché de Gascogne. Les terres deviendront anglaises en 1154 par le mariage d'Aliénor d'Aquitaine et d'Henri III Plantagenêt, ne retrouvant la couronne de France qu'en 1451. La **Soule** est, de la même manière, érigée en vicomté par Sanche Guillaume ; seul son dernier mandataire cédera la région (1307) qui se rend suzeraine du roi d'Angleterre. Elle sera annexée au Béarn en 1449 puis deviendra française en 1620 à l'édit d'Union. La future **Basse-Navarre** fera partie intégrante du royaume de Navarre entre les XIIᵉ et XVIᵉ siècles. Entre-temps, Navarre et Béarn se rattacheront à François Fébus (1479). En 1513, les rois de Castille occupent les territoires ; les armées franco-béarnaises reprendront les contrées du nord, qui retourneront à la France en 1589. Ces trois provinces, dont le sort est ensuite lié à celui du pays, garderont néanmoins divers droits particuliers jusqu'à la Révolution. En 1790, l'Assemblée nationale créera le département des Basses-Pyrénées, rattachant administrativement Basques et Béarnais, réunion qui ne fait pas encore, aujourd'hui, toute l'unanimité...

La personnalité de la terre euskarienne est incontestable. Plus que partout ailleurs son paysage changeant réunit toute la gamme des verts, des bleus, des safrans et des carmins, que répliquent ou multiplient les moutonnements de collines, qu'accentuent les modelés des éminences. Plus que partout, le chevelu des ruisselets, les eaux vives de Nive, Nivelle ou Saison, les humeurs du ciel distribuant avec géné-

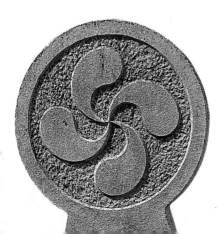

Pérennité basque :
le pastoralisme.

*rosité humidité vernale, douceur océa-
ne, soleil, luminosité d'automne… donnent à ce « pays fort bossu » une âme
imprévisible mais harmonieuse en
diable.*

    *Dans ce monde où l'approche des
montagnes dissimule plus encore d'at-
tachantes traditions et favorise la per-
sistance des légendes, règnent marins,
fermiers ou bergers. Que son espace
soit un port, un bocager prélittoral, des
coteaux adoucis à bois et landes, la
barrière des saillants de piémont, ou
une rocaille cernée par des estives, le
Basque est basque et entend le rester.*

*Avec une opiniâtreté que n'ont pas
émoussée les vicissitudes de l'histoire,
il est fier de ses origines, indépendant
mais chaleureux, ardent défenseur de
son identité culturelle, attaché à ses
institutions. La leçon
portée par la
plaque du
fronton des*

Le Labourd, province la plus occidentale, donne les constructions « caractéristiques » du Pays, du moins celles qui l'ont surtout fait connaître. La façade à pans de bois y est généralisée, aux crépis lait de chaux et menuiseries rouge sombre, vert ou brun. En Basse-Navarre, qui s'appuie contre le Labourd et bute sur la Soule, se ressent l'influence espagnole. Plus riche d'aspect, l'« etche » navarraise perd en parties boisées (sauf les balcons) ce qu'elle gagne en ornementation lapidaire : ici, le grès rehausse majestueusement la façade. Avec la Soule, contrée élevée et accidentée, limitrophe des Pyrénées béarnaises, la maison, trapue, perd toute décoration superflue, s'abrite sous un toit pentu d'ardoises : reflets d'un accommodat à la difficile montagne et de son voisinage.

Le Basque peut paraître renfermé ; il est en réalité réceptif, convivial, et entretient un sens ludique aigu. La fête est institution ethnique et territoriale, et l'appréhender requiert humilité et ténacité. Jeux et foi sont le plus souvent mêlés, à quoi s'additionne un zeste de

Aldudes « Jouons honnêtement, toute la place nous jugera honorablement » n'est-elle pas significative ?

Ses raisons d'être ? la maison — son etxe, *personnalisée à l'extrême —, la cellule familiale aux droits légitimaires ancestraux, son « voisin », l'église de son village ou de son « quartier ». Religion, culte des morts, fêtes et jeux sont indissociables de la vie quotidienne.*

paganisme ; mais juste ce qu'il faut pour ne pas déplaire aux divinités ! Admirez donc ces mascarades et pastorales souletines aux épisodes interminables ; ces sauteurs bas-navarrais ou labourdins, où le fluide d'entrechats n'a d'égal dans la puissance que l'agilité de la détente ; et ce cortège de **Phesta-Berri**, la *Fête-Dieu*, qui finit en

théâtre bruyant et carnavalesque dans le chœur de l'église, étincelant de vieux ors, surchargé de colonnes torses et garni de bois polychromes. Autour de cet édifice multiforme — pignon à trident, fronton à courbes, clocher-forteresse, sanctuaire roman des voies de Compostelle — veillent, dans leur cimetière-jardin, d'énigmatiques et superbes stèles discoïdales, parfois frappées des signes astraux.

Aimer le Pays basque, c'est y découvrir peu à peu ses mille richesses, humaines et paysagères ; c'est s'attarder sur une maison, ne pas ignorer une chapelle isolée dans les fougères, traverser des chemins profonds perdus dans les landes, apprendre ses habitants, y flâner hors saison. Le *Ramuntcho* de Loti n'est-il pas éloquent d'invitation : « Novembre finissait, dans un tiède rayonnement de ce soleil qui s'attarde toujours très longtemps ici, sur les pentes pyrénéennes. Depuis des jours, dans le Pays basque, durait ce même ciel lumineux et pur, au-dessus des montagnes rougies de la teinte ardente des fougères... »

La maison, le jeu, la langue, la terre, la foi, liens d'un peuple venu du fond des âges.

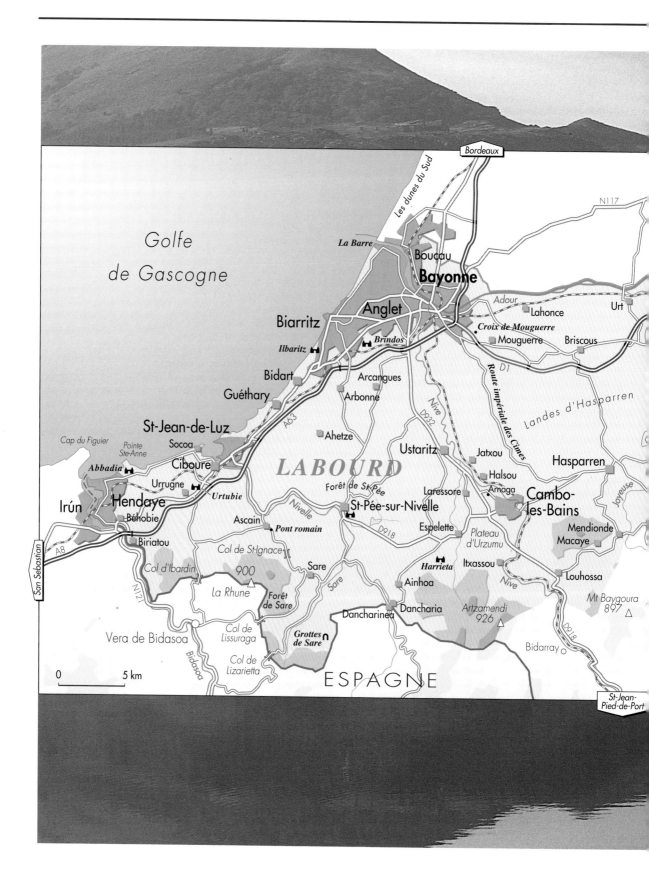

Golfe
de Gascogne

Bordeaux

Les dunes du Sud

La Barre

Boucau

Bayonne

Adour

Lahonce

Urt

N117

Biarritz

Anglet

Croix de Mouguerre

Ilbaritz

Brindos

Mouguerre

Briscous

Bidart

Arcangues

Guéthary

Arbonne

D1

Route impériale des Cimes

Nive

D932

Landes d'Hasparren

St-Jean-de-Luz

Ahetze

LABOURD

Ustaritz

Jatxou

Hasparren

Cap du Figuier

Socoa

Halsou

Pointe
Ste-Anne

Ciboure

Forêt de St-Pée

Laressore

Arnaga

Cambo-
les-Bains

Abbadia

Urrugne

Urtubie

Nivelle

St-Pée-sur-Nivelle

Mendionde

Macaye

Irún

Hendaye

Ascain

Pont romain

Espelette

Plateau
d'Urzumu

Itxassou

Louhossa

Nive

Béhobie

D918

Biriatou

Col de St-Ignace

Sare

Harrieta

Mt Baygoura
897

San Sebastian

A8

Col d'Ibardin

900

Sare

Ainhoa

Artzamendi
926

N121

La Rhune

Forêt
de Sare

Dancharinea

Dancharia

Bidarray

D918

Vera de Bidasoa

Col de
Lissuraga

Grottes
de Sare

ESPAGNE

Bidasoa

Col de
Lizarietta

0   5 km

St-Jean-
Pied-de-Port

Joyeuse

LE LABOURD (LAPURDI) :

la douceur océane et l'harmonie des collines

Quand le soleil se couche, le pays révèle de culminantes splendeurs. Le couchant est cramoisi ; les montagnes sont violettes ; les eaux, offertes comme un prisme à la fête des couleurs, ont des transparences inouïes. Au cœur de l'automne, quand les fougeraies sont rouges, le vent du Sud fait de chaque colline une flamme.

G. Bernoville

itrine du Pays basque, immortalisés par les voyageurs, les écrivains, les fastes du second Empire, les frasques des aristocrates et les folies des grandes cours d'Europe, la côte et ses marcations intérieures s'affichent au « hit-parade » des trois provinces d'*Iparralde*, celles « du nord ».

Ce ne sont pas forcément ces ferments qui font débuter nos itinéraires par l'Occident ; trouvons-y plutôt une logique à base géographique et structurale : où aboutissent la nationale 10, « l'Aquitaine » (A 63) et « la Pyrénéenne » (A 64) sinon sur le grand district B.A.B. et les fondations mêmes de Lapurdum, cité fortifiée de Novempopulanie... et futur Bayonne. Un toponyme qui s'étend bientôt à la région attenante, le **Labourd**, aujourd'hui 860 km^2 et 20 000 habitants.

Bordé au nord par l'Adour *(Aturi)*, « beau fleuve qu'il faut voir [...] quand le soleil couchant assombrit ses flots azurés... » (Flaubert), au sud par Guipuzcoa et Navarre, espagnols mais également euskariens, il finit à l'est contre l'ample Basse-Navarre.

Contrairement à cette dernière et à la Soule, on ne subdivise pas le Labourd en « pays » ; en fait, peu de choses bougèrent à ce sujet dès l'époque médiévale tant et si bien que la structure communale d'aujourd'hui correspond à l'aire d'influence paroissiale d'alors. Quant au sol vallonné mais sans vrais heurts topographiques majeurs, il ne se prête guère à transects. Les concessions restent donc limitées à celles de **zone littorale** (« la côte »), aux **bassins de la Nivelle** (est-ouest : Ainhoa/Ascain) et **de la Nive** (sud-est - nord-ouest : Louhossoa/Ustaritz), enfin à cette région historiquement confuse mais au tracé touristique défendable que

La pointe Sainte-Anne à Hendaye : un site protégé.

constituent les « landes » d'Hasparren, le Bas-Adour et les anciennes terres de **Gramont**.

Qu'on ne se méprenne pas pour autant sur cette apparente simplicité ; la quarantaine de kilomètres de côtes concentre de fabuleux manifestes géologiques, multiplie les horizons, rassemble l'histoire de la France et celle du peuple basque, juxtapose les plus curieux registres d'architecture, s'abandonne à d'extravagantes *ferias* ; à « l'intérieur » où « chaque ligne est une suprême leçon de sculpture » (Jammes) avec la Rhune comme « point d'achèvement, de perfection, couronnement de tout un admirable pays... » (Bernoville), la fête des yeux et des sens continue : vestiges protohistoriques particulièrement denses, redoutes (Koralhandia, Suhamendi, Zulubea...), élégantes maisons à colombages ou volumineuses fermes (vallée du Lissuraga), villages de rêve (Aïnhoa, Espelette,

Itxassou, Sare...), gentilhommières. Reste à souligner la profusion de ces vastes églises labourdines à clocher-tour massif et nef unique ; sans oublier de préciser ce que cette attrayante province qui a « reçu tous les dons de la lumière et les prestiges de la beauté » contient de possibilités en balades et randonnées.

La côte

Anglet (Angelu)
3 km O. de Bayonne

De Bayonne à Biarritz, rien ne sépare vraiment Anglet du grand ensemble urbain qu'est le *district*. Pays basque et proche Gascogne s'amalgament dans cette vaste commune, cité-dortoir au centre ou zone de villégiature côtière (Pignadas, Chambre d'Amour).

Ruban blond et mer de cobalt, le littoral d'Anglet.

Mentionnée dès 1188, la ville n'a plus guère de témoignages des siècles passés. L'église Saint-Léon (vers 1583) a toutefois traversé le temps en dépit de lourdes modifications (1659, 1738) : installation de galeries, retouches de gros œuvre ; les réfections du clocher firent partie de restaurations curieuses : son type *souletin* est ambigu en Labourd.

Diverses réalisations immobilières plus contemporaines marquent quelques styles de périodes fortes. Ainsi la **mairie** (centre, près N 10), bâtiment 1938 néo-espagnol de W. Marcel, ou le **château de Brindos** au bord du lac aménagé,

œuvre 1930 du même architecte qui conçut en outre les aménagements intérieurs. Par contre, le **VVF** de la Chambre d'Amour (1970) est résolument moderne ; mais il fut décrié par certains en raison de son style ou des atteintes qu'il portait au milieu naturel. La **pignada**, forêt de résineux créée sous Napoléon III, héberge des villas somptueuses ou cossues (fin XIXe, première moitié du XXe), Belle Époque, baroques ou néo-labourdines. Le lac de Chiberta, le terrain de golf et l'ancien hippodrome ajoutent, dans l'éclairage tamisé des pins, un support élitiste à ces demeures.

Premiers bains matinaux à la Chambre d'Amour.

Le **front de mer** ressemble à celui des Landes : vastes plages, cordon de pins maritimes (malheureusement dévoré par l'urbanisme) : face à cette ligne, un océan superbe de force et d'étendue, dont les déferlantes sont l'un des atouts du *surf*. Au nord, le littoral s'effiloche sur les **plages de la Barre**, dangereuse confluence de l'Adour et de la pénétration océane. Par

Napoléon à Édouard VII, qui lancèrent le site. La légende (faits réels ? fin XVIIIᵉ) prétend que deux amants y périrent à marée haute. Ce porche s'était mis hors d'atteinte des pleines mers, les sables ayant viré de cap après l'avoir obturé en entier. Son déblai et l'agencement des environs (1978) ont renouvelé le merveilleux de l'endroit.

Bayonne : les quais se mirent dans la Nive.

gros temps, de puissants rouleaux viennent s'écraser sur le sol, pulvérisant au loin les paquets de mer chargés de sable et d'écume. Aussi le **port de plaisance** (1975) s'est-il ouvert sur une courbe interne de l'estuaire où la fureur cède au calme. Au sud, le littoral s'achève contre le promontoire du phare. Une cavité célèbre, la **grotte de la Chambre d'Amour**, fit porter au loin le nom d'Anglet par de nombreux et illustres personnages, de

Bayonne (Baiona)

Évêché et sous-préfecture, ce grand port sur le golfe de Gascogne promet au visiteur une approche attachante. Bayonne s'est élevée à la jonction de l'Adour et de la Nive, à quelques kilomètres de l'Océan. Les configurations territoriales et une position politico-géographique particulièrement ciblée ont fait de cette cité un carrefour convoité.

L'hôtel de ville-théâtre.

enceintes, franchit l'Adour (« Cap dou Point »). De 1152 à 1451, voici Bayonne anglaise. Si l'on excepte divers épisodes guerriers liés à la convoitise étrangère (incendie du début XIIIᵉ, assauts de Gaston VII...), cette longue période fut faste et prospère : l'allégeance est sans contraintes, l'octroi de privilèges constant, le commerce maritime florissant.

Après la guerre de Cent Ans, Bayonne tombe sous les coups de l'armée de Charles VII, grâce à Gaston IV et Dunois ; elle passe sous contrôle de la couronne de France. On édifie le Château-Neuf, mais on réduit les possibilités institutionnelles. Le XVIᵉ siècle sera marqué par plusieurs sièges et un déclin économique : l'Adour s'est échappé au nord (il s'ensablait depuis le XVᵉ), le pertuis ouvrant à Vieux-Boucau (Landes). Les travaux régionaux pour le récupérer sont vains : le roi appelle Louis

Sur le secteur occidental apparaît, aux IIIᵉ et IVᵉ siècles, la garnison romaine de *Lapurdum*. Elle donnera son nom au Labourd (XIᵉ), la ville devenant (XIIᵉ) Ibaigune, Baiona. Elle laissera aussi les témoignages de son important *castrum*, encore debout en partie. On sait seulement des siècles qui suivirent que la bourgade fut maintes fois assaillie par les Vandales et autres pillards, les Normands n'étant pas les moins tendres ; ils y établirent leur base, dès 840, pour dominer le pays. Une « paix » relative s'installe vers 980, qui permettra les premiers fondements du vicomté-évêché (fin XIᵉ). La ville s'agrandit, s'entoure de nouvelles

Le « Grand Bayonne » au quai Lespès.

de Foix, ingénieur hors pair : il se rendra maître du cours (1570-1578)... aidé par une crue bienvenue qui projettera le fleuve sur son actuel tracé. L'expansion reprend, grâce à la protection des ouvrages de Vauban (1680). Aux pêches de haute mer s'ajoutent les coursiers qui vont ravager et rançonner bâtiments ou possessions étrangères. Ces corsaires feront la fortune de la place, soutenus par les franchises de 1784 : commerce colonial, route des « isles », construction navale embourgeoisent Bayonne.

La Révolution partagera la commune et les événements napoléoniens n'arrangeront rien. L'Espagne refuse Joseph Bonaparte et la Constitution de Bayonne ; c'est le siège de la ville, la bataille (1813) du plateau de **Mouguerre** (5 km E.) entre Soult et Wellington. Le second Empire va atténuer le déclin dans lequel la ville était à nouveau tombée, la révolution industrielle (*forges du Boucau* créées en 1881-1883) préfigurera le nouveau dynamisme bayonnais de notre seconde moitié de XXe siècle. La **Barre de l'Adour** est maîtri-

Une tradition bayonnaise : les chocolatiers. (Atelier du chocolat Andrieu).

sée, les gros tonnages permettent exportations (soufre, céréales) et importations (phosphates, combustibles).

Le quartier Saint-Esprit

Ce faubourg entre Adour et butte de Saint-Étienne fut étape vers Compostelle, mais il ne reste quasiment rien de l'hôpital-prieuré. Par contre, au débouché de la place de la Gare se remarque l'église du **Saint-Esprit**, modeste collégiale

Un Rubens du musée Bonnat.

gothique (XVe) en partie encastrée dans des maisons et chahutée par l'intense circulation qui dépend du pont Saint-Esprit (milieu XIXe). Ce sanctuaire, dû à Louis XI, de volume disproportionné mais original, montre une abside aux membrures compliquées et un chœur à voûtes carrées d'ogives joliment nervurées. Une sculpture polychrome sur bois, relatant la Fuite en Égypte, date du début du XVIe siècle.

Sur le dôme ouest, la **citadelle** en étoile, austère bastion Vauban (1680) fut un modèle d'ouvrage militaire, avec « des propriétés extrêmement avantageuses et telles qu'il n'y a peut-être pas une citadelle dans l'Europe qui en ait de si grandes ». Sa vaste porte principale continue de surveiller le fleuve, bordé par le quai de Lesseps.

Le faubourg fut colonisé par les juifs entre les XVIe et XVIIe siècles, venus d'Espagne puis des possessions de Gramont. Leur présence correspond, outre le commerce des huiles, à la diffusion du chocolat ; Bayonne s'en fit une spécialité dont l'apogée se situe au XVIIIe siècle... et dont la réputation se poursuit.

Le grand patio du musée Bonnat.

Le Petit Bayonne

Les allées Boufflers qui bordent l'Adour le limitent au N.-E., tandis que les quais rive droite de la Nive le taillent N.-S. Quatre passages entretiennent de pittoresques échanges entre ce quartier (dit aussi Bourg-Neuf) et le Grand Bayonne : ponts Mayou, Marengo, Pannecau, du Génie. De là, les vues sur la Nive, frangée de pittoresques immeubles étroits (XVIe-XVIIIe), sont remarquables. Les toits plats, façades de pierre ou blanchies, volets-persiennes rouges ou verts se reflètent avec bonheur dans la rivière. Des passages à arcades (les « couverts ») supportent les bâtisses, sous lesquelles prospèrent les commerces (demi-gros maraîchers, cafés...).

À l'angle de la rue Marengo et du quai des Corsaires, le **Musée basque** (fondé en 1922-1924) occupe une maison marchande du XVIe (« *Dagourette* »), plus tard utilisée par les Visitandines (XVIIe) : comme bien des immeubles de ce quartier, ses fondations anciennes sur pieux indiquent que le terrain fut conquis sur des zones marécageuses. En restauration pour plusieurs années, ce musée organise, dans l'immédiat, des expositions temporaires grâce à ses réserves exceptionnelles : mobilier, costumes, musique, décoration, jeux, œuvres d'art, importante bibliothèque.

Flâner dans les rues adjacentes mènera à observer des alignements d'arceaux (rue des Tonneliers) et des ruelles où le commerce des lards et jambons fut prospère (rue Charcutière). Forcément, on débouchera rue Lafitte près du **musée Bonnat** (fin XIXe) et sa collection d'œuvres d'art unique en France après le Louvre. Léon Bonnat (1833-1922), peintre bayonnais

brillant et mondain, avait amassé sa vie durant sculptures, dessins, peintures, tapisseries, antiquités gréco-romaines, qu'il légua à la municipalité, à charge que ces œuvres ne soient pas exposées ailleurs : ivoires (XIIIe-XIVe), dessins de toutes écoles et époques (XVe-XIXe), esquisses et tableaux de Rubens, Ingres, Rembrandt, Greco, Michel-Ange...

Le **Château-Neuf**, posté sur la butte de Mocoron, prit naissance sous Charles VII (énormes tours de 1460) mais sa construction s'étala au moins sur trente années. Érigé pour la défense de la ville — les murs ont 3 m d'épaisseur —, l'ouvrage devait aussi surveiller le *Borc Nau,* cité récemment reprise aux Anglais... et dont on se méfiait quelque peu. Des modifications l'ont « modernisé », pourtant son austérité reste inébranlable.

Derrière cette défense, les **remparts** prennent à hauteur de la porte de Mousserolles (rive gauche de l'Adour) et, entourant le Petit Bayonne, remontent sur le pont du Génie. Totalement repensés par Vauban (1680), ils sont un excellent exemple de l'art de cet illustre ingénieur du roi. Le **réduit**, au confluent de Nive et Adour, est ruiné et son échauguette baigne dans le fleuve ; mais un agréable square permet d'apprécier l'entrée de la Ville Haute.

Une « porte » des remparts.

Le Grand Bayonne

Les limites du plus vaste quartier de la ville passent par la Nive (à l'E.), les remparts (au S.), les murailles et les allées Paulmy (à l'O.). L'Adour le borde au N. La **cathédrale Sainte-Marie**, édifice en croix latine à sept travées et trois nefs, est grandiose. Ses flèches (85 m de haut) percent le ciel et signalent de très loin l'arrivée sur Bayonne. Les fondations, romaines puis romanes, ont servi d'assises à l'un des plus beaux sanctuaires gothiques du sud de la France. Les travaux de construction débutèrent au XIIIe siècle pour ne s'achever qu'au milieu du XIXe ! C'est alors qu'on coiffa la vieille tour S. (début XVIe, gothique flamboyant) et la tour N. (gothique rayonnant). Entre-temps, la vénérable

Fossés et fortifications XVIIe siècle ; en angle du bâti, l'une des tours romaines.

Le cloître XIIIe-XIVe
de Sainte-Marie et ses enfeus.

Flèches de la cathédrale gothique
d'influence champenoise.

cathédrale eut à subir les ravages d'incendies (XIVe notamment), et les dégradations de la Révolution ; des portails, de nombreuses sculptures, une partie du cloître furent mutilés... Ce dernier, commencé au XIIe — un des plus spacieux connus — fut utilisé comme cimetière au XVIe, et faillit disparaître (1812, 1839) pour des causes obscures de rénovation générale ; seule l'aile N. fut rasée. Outre sa beauté, on y observe une série de tombeaux et enfeus du XIVe au XVIIIe. Les travaux de réhabilitation de la cathédrale, commencés vers 1850, continuent aujourd'hui ; de cet édifice profondément marqué par les influences de Reims et Soissons, on peut retenir la sacristie flamboyante (XVe et XVIe) dite des prébendiers ; la sacristie franco-champenoise à double portail (XIIIe) ; les verrières (XVe-XVIe) et un vitrail exemplaire de 1531 (chapelle Saint-Jérôme) ; la chaire en acajou (XVIIIe) et le maître-autel de marbre

et vermeil (XIXe) ; un heurtoir ciselé (XVe) et de nombreuses clefs de voûte à thèmes ou armoriées...

De Sainte-Marie, et non loin de la *fontaine du Pilori*, rayonnent des **rues** étroites et pittoresques, recevant à leur tour une série de voies devenues piétonnes. La *rue du Port-Neuf*, très typique, est bordée de *maisons à arceaux*, où les commerces sont nombreux et l'animation permanente. *Rue d'Espagne* s'observent de très belles ferronneries, artisanat qui fit la renommée (avec l'invention de la baïonnette) des *faures*, forgerons-armuriers d'antan ; son extrémité reçoit la *porte d'Espagne*, à pont-levis sur remparts et douves (asséchées). De belles maisons (XVIIe-XVIIIe) à croisillons et colombages ou pierre taillée s'alignent dans les rues dont la désignation s'accorde à leur fonction passée : *Vieille-Boucherie, Argenterie, Monnaie, Poissonnerie...* ; *rue de la Salie*, voir un hôtel fin XVIe (dit de Belzunce), à grand escalier et porte

La Cananéenne (détail),
vitrail de 1531.

d'angle décorée. La plupart de ces logis furent bâtis sur pilotis ou sur **caves gothiques** ; architecture spectaculaire du XVIᵉ, on en a recensé près d'une centaine, dont une partie se visite (voûtes ogivales ou berceaux à brisures). N'oublions pas les cours intérieures, à lourds escaliers et verrières, avant de passer aux **remparts**, dont les glacis, fossés, jardins et allées aménagés réservent d'agréables promenades ; on y remarquera des restes de l'antique **muraille romaine**, prise dans les très vieilles maisons longeant les *rues Tour-de-Sault* et *Lachepaillet* (impressionnant portail pont-levis). Quelques-unes des vingt-quatre tours du IVᵉ siècle sont parvenues jusqu'à nous : celles *des Augustins*, *du Bourreau*, *des Deux-Sœurs*. Le boulevard Lachepaillet donne, au N.-O., au **Château-Vieux**, forteresse médiévale plusieurs fois remaniée (XIᵉ au XVIIᵉ), élevée pense-t-on sur les fondations du *castrum* primitif. Dans le cadre du réaménagement

Une des clés de voûte historiées : la nef bayonnaise.

militaire de la ville, Vauban fit actualiser le grand corps et les tours, raser la vigie centrale. Résidence de dignitaires locaux, vicomtes labourdins, gouverneurs, rois de passage ou en exil, le château servit maintes fois de prison, notamment à Du Guesclin.

Passons par la *rue Thiers*, aux alignements de maisons bourgeoises (XVIIᵉ-XVIIIᵉ) ; par la *place de la Liberté* où trône le grand hôtel de ville-théâtre (fin XIXᵉ) dû à C. Garnier, grand prix de Rome et auteur de l'Opéra de Paris ; par le *quai Dubourdieu*, où l'ancien hôtel particulier de Brethous (XVIIIᵉ) abrita F. Cabarrus, fondateur de la banque d'Espagne. Nombreux sont les Bayonnais de renom : Duvergier de Hauranne (1581-1643), théologien janséniste ; Carlos de Soublette, qui termina une longue carrière politique à la présidence du Venezuela (1843-1847) ; J. Laffitte, gérant de la Banque de France et trésorier de Louis XVIII...

Et dans ce « morceau de grande ville, tombé par hasard dans un nid de verdure... », vous pourrez aussi participer, août venu, aux délires des fêtes traditionnelles, ou vous initier aux grandes corridas dans les arènes.

Le passage et la porte d'Espagne.

Une tour du Château-Vieux.

La Grande Plage.

Biarritz (Miarritze)
7 km S.-O. de Bayonne

Dans un cadre de rochers déchirés, de promontoires, de falaises marneuses, c'est la plus « folle » des villes balnéaires de la côte basque, la *plage des Rois*. Avant d'être ce haut lieu de villégiature et image de marque du golfe, Biarritz fut un hameau de pêcheurs et paysans où l'on parlait gascon.

La cité est désignée dans le cartulaire de Bayonne (1150), puis pour autorisation de chapelain en l'église Saint-Martin. Rien ne figure auparavant qui permette de remonter à des origines plus anciennes. Et ni les industries néolithiques (cap Saint-Martin) ni les lignites (- 3200 av. J.-C.) d'Ilbarritz n'apportent d'éléments entièrement satisfaisants. « *Beiarriz* » sera d'abord un important lieu de chasse à la baleine, activité qui déclenchera des affranchissements, conflits ou redevances, notamment envers Bayonne (1315, 1342, 1355, 1582...) mais aussi avec les Espagnols et les Flamands ! Les *pescheries* vont néanmoins prendre de

l'importance et un sceau (1351) en portera marque. Abondantes jusque sur le front de mer, les baleines se raréfient au cours des siècles, obligeant les *Biarrots* à pousser au grand large puis jusqu'aux lointains « païs de la terre neuve ». Ils y pêcheront aussi la morue jusqu'à la signature de la paix d'Utrecht : les eaux du Grand Nord leur étant interdites, les cétacés disparus de Gascogne, ce sera le début de la ruine (1745-1788). Le bourg est en outre frappé par les épidémies et l'émigration vers le Guipuzcoa ; l'embarquement des marins sur les nouveaux *coursiers* de Saint-Jean-de-Luz freinera le déclin. Peu toutefois s'installeront, une fois riches, à Biarritz. Une série de guerres et batailles va aggraver la situation : cantonnement de l'armée des Pyrénées (1792), d'Espagne (1794), occupation anglaise (1813-1814).

Mais un tournant s'amorce. Wellington découvre « le plus joli village que l'on n'ait jamais vu » (P. Laborde), et les *bains de mer* (pratiqués depuis longtemps par les habitants) se révèlent aux premiers « visiteurs » ; certains séjourneront

Le rocher des Enfants.

La pointe Saint-Martin et son phare, depuis Miramar.

ici et porteront ailleurs la nouvelle : la famille Montijo, les Montpensier, G. Flaubert, H. Stendhal, V. Hugo, riches Anglais ou Espagnols (1815-1850). La crainte de Hugo (*Carnets des Pyrénées*, juillet 1843 : « *Je n'ai qu'une peur, c'est qu'il (Biarritz) devienne à la mode [...] ; bientôt — on — mettra des rampes à ses dunes, des escaliers à ses précipices, des kiosques à ses rochers, des bancs à ses grottes [...] »*) va se réaliser de 1850 à 1870. Dès 1845, rues et logements préfigurent les grands travaux du second Empire : palais, hôtels, maisons de bains, casino, lieux de culte, villas (près de 300 !) sont décidés ou réalisés. La guerre de 1870-1871 n'altérera en rien ce développement, qui va se poursuivre jusqu'en 1914. Princes russes, bourgeois britanniques, français, espagnols, latino-américains côtoient hommes de l'art, de lettres, de sciences, ou têtes couronnées. On construit encore beaucoup, parfois de manière anarchique, souvent somptueuse. La Grande Guerre achevée, le boom des *Années folles* démarre : fêtes frivoles ou triomphales, rois, artistes (Chaplin, S. Bernhardt, Guitry, Picasso...) font le *tout-Biarritz*, qui s'enorgueillit de constructions de luxe (1920-1930). Mais à côté de ce tourisme mondain se profilent des loisirs plus démocratiques, sur fond de guerres et de récession économique ; on mettra longtemps à s'en relever. De 1930 à 1950, Biarritz s'évanouit en essayant de ne pas sombrer dans l'oubli. Depuis, l'essor a repris avec un renouvellement des potentialités touristiques. Constructions et aménagements modernes prennent place entre certains restes du passé. Cet anachronisme fait l'intérêt de la visite.

Le front de mer

Au nord, le **cap Saint-Martin** est un promontoire battu par les vagues. Preuves les îlots qui en restent, les grottes qui le sapent. En son sommet fut construit (1834) le phare (44 m de haut, 248 marches). De la rotonde supérieure (70 m au-dessus de la mer) se découvrent Biarritz, les côtes basque et landaise, l'Espagne.

La **plage Miramar**, où Bismarck faillit se noyer en 1864, est

Le casino près d'architectures néo-régionalistes.

Au port des Pêcheurs.

enserrée entre les falaises du phare et le rocher de l'**hôtel du Palais**, ancienne *Villa Eugénie*, œuvre d'architectes bayonnais achevée en 1855. L'édifice Louis XIII en briques rouges et chaînes de pierre, résidence de la famille impériale, devint plus tard casino-hôtel (le *Palais-Biarritz*, 1894-1902). Ravagé par le feu (1903), il fut agrandi et rehaussé sur ces ruines. C'est maintenant un palace.

La **Grande Plage** est le site le plus fréquenté du littoral biarrot. Quasi désert en hiver, le ruban blond devient fourmilière colorée, agitée et bruyante *en saison* ; mer d'huile où seuls des ourlets grésillent sur l'estran, mer d'enfer des équinoxes et du *vent tournant* qui met en lambeaux le drapeau rouge et charrie le sable dans les rues. Au centre de cet hémicycle, le **casino municipal** (1929) est de pur style art-déco. Ce long bâtiment, aux galeries extérieures noires de monde jour et nuit l'été, a remplacé le premier établissement de jeux de 1897.

Le « **casino** » Bellevue (aujourd'hui résidence) enracine ses lourds volumes sur le **promontoire du Basta**. Réalisé en 1857, reconstruit après incendie en 1901, agrandi en 1902 et 1928, il attirait une clientèle fortunée avide de jeux, de théâtre, concerts et lecture. À ses pieds débutent les **promenades**

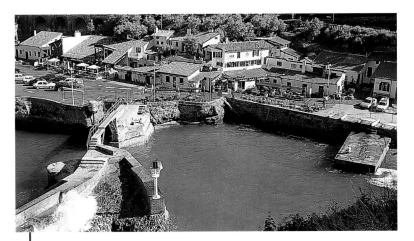

Les « crampottes »,
anciennes maisons de marins.

fleuries d'hortensias roses et bleus, allégées du plumetis des tamaris, de l'or des cinéraires, et bordées de curieuses balustrades en ciment faux bois fin de siècle. Ces jardins, l'un des charmes de la ville, tiennent leur exubérance de la *douceur* de la côte.

Contourné le Basta, la promenade mène au **port des Pêcheurs**, dans un fouillis de pentes fleuries, face à un émiettement de brisants. Créé au début du XIXe, puis repris vers 1870 sur une série d'îlots, il remplaçait la cale défectueuse et inadaptée du Vieux-Port. Des maisonnettes blanches à toit une pente s'adossent à la falaise grège : ce sont les anciennes *crampottes* exiguës des pêcheurs.

La voie bordière, un tunnel, ou des chemins coupés de marches aboutissent au **plateau de l'Atalaye**. De ce promontoire, la vue plonge sur le port (au nord) ou le rocher de la Vierge (au sud). Relié à quelques îlots (Gamarritz), fleuri comme le reste de la côte, ce lieu de promenade avait autrefois une

Le très célèbre rocher
de la Vierge.

Les rochers de Biarritz

Éparpillés entre la pointe Saint-Martin et « Caseville », ils sont une trentaine plus ou moins accessibles aux très bons nageurs, aux baigneurs ou aux pêcheurs à pied. Restes rognés du continent, leur forme ou leur histoire les a fait baptiser de noms que seuls les « anciens » connaissent par cœur. Au large du phare, hauts lieux de naufrage, voici le *Tombeau* et la *Frégate*, très battus et dangereux ; devant Miramar : *Roche Ronde*, reposoir à cormorans ; bien loin face au Palais, *Roche Plate* et, à côté du Basta, le *Rocher des Enfants...* couvert de monde. Autour du *Basta* — lié à la côte par une passerelle : *Chinaougue*, les *Shannings, Artillerie, Hosse, Arroque Praoubé* (le « pauvre caillou ») et *Labardin*, le plus éloigné. Entre la digue de Gamaritz (Atalaye) et le Rocher de la Vierge (dit *Cucurlon*, avec pont Eiffel), on reconnaît le *Bouhoum*, bien nommé car il sonne creux à chaque déferlante ; le *Couloum* (pigeon) ; le *Jite Can* (on y noyait les chiots !) ; la *Roche percée* ou *Trou Madame* ; la *Surprise* et sa croix, du nom du voilier qui s'y fracassa au XIXe ; au-delà de la digue de Cucurlon : *Opernaritz*, riche en « pouces-pieds » ; *Boucalot* et la *Pantoufle* ; *Garitz* dans le lointain. Enfin, la côte des Basques a laissé des *Cachaous* (les dents), face à la Villa Beltza — elle-même fichée sur le *Rocher du Halde* — et les *Tres Pots* ; la *Mousclariette*, écueil perfide mais propice aux moules ; la *Gourèpe*, vaste platier face à Marbella ; près de Milady, *Peyre Blanque* et *Lous Arrocats*, submergés en hautes eaux ; la *Peyre-qui-Bève*, vers Ilbaritz clôt cet inventaire lapidaire.

Récemment réhabilitée, la « Villa Beltza » sur son rocher du Halde.

L'entrée du musée de la Mer, une étrave face à l'Océan.

tout autre destination. De ce cap veillaient, en effet, les guetteurs de baleines. Le signal pour une sortie en mer se donnait par fumées du haut de tours (les *atalayes*) : la *humade*, où brûlaient fagots, tourbe et fougères, servait en outre de fanal aux navigateurs. Le **musée de la Mer** a remplacé les vigies. Son architecture, sur quatre niveaux, et sa décoration, tant extérieure qu'intérieure, correspondent aux concepts précis de la période de construction 1932-1935. La visite de cet établissement tout récemment modernisé apporte une vision très pédagogique de tout ce qui touche aux milieux naturels du golfe de Gascogne. Des laboratoires de recherche dynamisent l'intérêt de ce centre.

Face au musée, l'esplanade s'achève sur le **rocher de la Vierge**, qui supporte une statue en bronze depuis 1864. Ce site célèbre est relié au plateau par une passerelle Eiffel (1887). Ce ne fut pas là le premier lien : un pont avait déjà été jeté en 1863, suivi du percement du *rocher de Cucurlon*, qui devait au-delà se prolonger en port-refuge (1870). L'ouvrage inachevé se reconnaît à ses vestiges écumant au ressac, élargis de l'embryon de digue où se presse la foule. Les jours de tempête, le spectacle y est permanent : d'énormes rouleaux se cassent sur les lignes d'écueils, pénètrent dans les cavités sous-jacentes. L'explosion liquide qui suit est grandiose, voire angoissante... et rares sont les imprudents qui n'en réchappent pas trempés.

La route de la corniche contourne l'anse et la **plage du Port-Vieux**, protégée des vagues et du vent par ses murailles naturelles. En son fond, un ancien établissement de

Formations marneuses
de la côte des Basques.

bains a fait place à des boutiques. Ce premier havre baleinier d'accostage et de dépeçage, déjà inapproprié en 1697, fut abandonné à la fin du XVIIIe siècle. Plusieurs éperons se profilent encore, très entaillés par la mer ; l'esplanade du Port-Vieux enjambe ces cavités par le **pont du Diable**. Sur la dernière pointe fut réalisée la **villa Beltza** (1880-1895), sorte de château draculien à tourelles et clochetons malmenés par le vent du large. Et que dire des poussées marines lorsque gerbes et embruns enveloppent l'étrange édifice (restauré) dans une lumière de cauchemar !

Cette arête franchie, les rocs déchiquetés font place à une muraille de marnes ravinées qui s'abaisse progressivement jusqu'à Bidart. C'est la **côte des Basques**, dont le recul et l'effondrement partiel sont dus à des phénomènes géologiques et mécaniques, difficilement maîtrisés par de gros contreforts. La plage est fréquentée par les baigneurs, plus intrépides qu'ailleurs : c'est de la mer que vient le danger, où le ballet des déferlantes est propice aux *surfers*.

Plage du Port-Vieux et l'Atalaye.

Biarritz et ses environs regorgent
de folles constructions.

La ville et ses quartiers

L'église **Saint-Martin** est l'édifice
le plus ancien de Biarritz au cœur
de la ville d'origine, elle-même fon-
dée sur le premier village dit *Bea-
ridz* (vers 1186). Le monument
gothique est de modeste apparence
malgré un clocher-mur, qui servait
aussi de point de repère aux marins.
Attestée en 1342, l'église fut achevée au XVIe siècle. Dans les travées
à arcs doubleaux, un pilier porte
cartouche de restaurations (1541).

L'église néo-gothique **Sainte-
Eugénie** (1898-1903) domine le
boulevard Leclerc. Elle a relayé une
chapelle offerte en 1856 par l'impératrice Eugénie. Les éléments les
plus intéressants sont les vitraux et
des orgues primées à l'exposition de
1900. Trois autres édifices religieux
illustrent également le passé biarrot. L'**église orthodoxe Saint-
Alexandre** (avenue de l'Impératrice et rue de Russie) est une largesse
du prince Wolkonsky (1892). **Saint-
Charles** (1908), néo-romane, se
situe dans le quartier des Thermes
salins : elle renferme des orgues de
l'atelier Cavaillé-Coll-Mutin. La
**chapelle Notre-Dame-de-Guada-
lupe** (1864), avenue Reine-Victoria
et rue Pellot, de l'époque impériale, est néo-byzantine ; la décoration :
briques, pierres et mosaïques, peintures sur cuivre... due à Boeswil-
wald et Steinheil, est remarquable.

Il est important dans cet itinéraire de ne pas négliger les maisons
particulières. La plupart, cossues,

Sainte Eugénie, au tympan
à Notre-Dame-du-Bon-Secours.

Le Labourd (Lapurdi)

Haut lieu résidentiel :
l'hôtel du Palais.

Mosaïques de Labouret
au « Plaza ».

baroques, néo-régionalistes ou copies médiévales, sont disséminées dans les rues de la périphérie, mais beaucoup ont été rasées depuis une vingtaine d'années. À Saint-Martin par exemple, on peut encore voir le **domaine Gramont** (1866), bâtisse Louis XIII en pierres grises et briques, ou le **château Boulart** (1883), néo-Renaissance en pierres sombres et violacées.

L'avenue de l'Impératrice (du Palais vers le phare) et l'avenue **Reine-Victoria** (près de la Grande Plage) conservent des *villas* construites entre 1890 et 1935. Sur fond de jardins — gloires d'antan, parfois délaissés aujourd'hui ou plantés avec orgueil sur rue —, se succèdent copies de châteaux, manoirs palladiens, palaces néo-basques, fausses demeures anglo-normandes, ou « vrai » art nouveau, modern style et art déco ; sans oublier — comment le pourrait-on

avec leur masse — les immeubles victoriens... devenus appartements bourgeois. Vers le centre, certaines boutiques, brasseries, hôtels ou résidences (celles-ci issues de ceux-là), **avenue Édouard-VII**, **place Clemenceau** et **avenue Foch**, sont un musée d'architecture fin XIXe, début XXe : ainsi la villa Bel-Air (1867), l'ancienne boutique Patou (1925), l'immense Maison-Basque (1927), l'hôtel Plaza (1928)...

On peut encore citer la **gare** désaffectée de **Biarritz-ville** face au square Forsans ; ce chef-d'œuvre ferroviaire de pierres métal et verre (1906-1911) — devenu Palais des festivals — est dû à l'architecte Devaux. La visite peut s'achever sur les quartiers sud de **Beau Soleil-La Négresse**, près des lacs Marion et de Mouriscot où, en 1906, se décida l'idylle d'Alphonse XIII, jeune roi d'Espagne, et d'Éna de Battenberg, nièce de la reine Victoria.

Bidart (Bidarte)

6 km S.-O. de Biarritz

À l'image de bien des communes de la côte, Bidart a vécu le difficile temps des chasses à la baleine comme les folles années du second Empire à la Belle Époque.

Le passé insouciant et insensé a laissé, entre autres, la propriété que Nathalie de Serbie fit bâtir fin XIXᵉ siècle (**villa Sacchino**), et l'invraisemblable **château du baron de l'Espée**, près d'Ilbarritz. Œuvre démentielle que ce palace 1900 pour milliardaire capricieux et fin musicien, même si beaucoup d'annexes et tunnels ont disparu !

La ville s'est développée en longueur depuis la seconde moitié du XIXᵉ siècle ; parfois désordonnée ou ramassée, elle garde néanmoins une authenticité bon enfant.

L'église **Notre-Dame-de-l'Assomption** (XVIᵉ), à clocher fortifié, fut retouchée au XVIIᵉ. Des pièces rares ou curieuses rehaussent l'intérieur : Christ en bois, retables (XVIᵉ au XVIIIᵉ) ; fonts baptismaux serbo-croates (don de la reine de Serbie), statue de saint Jacques en pèlerin ; il y eut ici une halte pour les marcheurs jacobites. La **chapelle de la Madeleine**, reconstruite début XIXᵉ, scrute l'immensité littorale en accrochant au loin les monts basques. De cette muraille bleutée se détachent la proue du Jaizkibel et le trident des Trois-Couronnes (*Aïako-arria* ou *Haya*) en Guipuzcoa, spectaculaire au crépuscule ou les jours d'orage. La **chapelle Saint-Joseph** (vers 1751) trône sur Parlementia, tandis qu'à l'intérieur, entre N 10 et A 63,

Le marché de Bidart se tient face à l'hôtel de ville néo-basque.

Notre-Dame-d'Uronea (XVIIIᵉ) protège une source bénie.

Sur le littoral se succèdent des baies coupées par plusieurs saillants. La **plage de l'Ouhabia** s'enchâsse entre deux de ces avancées, au débouché du ruisseau qui lui a donné son nom. Autrefois parcourue par son cours instable et vallonnée de dunettes herbeuses, la crique est à présent « aménagée » et par conséquent très prisée l'été.

Quelques kilomètres à l'est, **Arcangues** (*Arrangoitze*) est célèbre pour la tombe du chanteur Luis Mariano fleurie en permanence par des admirateurs inconsolables. Non loin de la place, nappée dans la fraîcheur d'une lourde tonnelle et bordée par le fronton, l'**église Saint-Jean-Baptiste** (XVIᵉ) contient sépultures et chapelle privée de la famille d'Arcangues. Un retable doré, des galeries sculptées, un grand lustre Empire, des panneaux en haut relief ajoutent de la majesté à ce sanctuaire. Le **cimetière**, esthétique jardin fleuri, vaut à lui seul une flânerie. On y découvre, en outre, des *stèles tabulaires et discoïdales* voisinant avec quelques tombes anglaises (1813-1814) ; on ne fit pas que se promener ici ; pourtant, la vue dégagée et bucolique sur les collines aurait dû n'inspirer que paix !

Le premier **château** d'Arcangues (1150) fut incendié pendant les guerres de 1636-1637 ; reconstruit et agrandi, Wellington y établit son quartier général (1813). Le marquis M. d'Arcangues lui substitua en 1900 l'actuelle demeure, abritée dans un parc de chênes vénérables, à l'écart du bourg.

La chapelle Sainte-Madeleine recueillait les corps des naufragés.

Lumières du quai Maurice-Ravel à Ciboure.

Au-delà des sables de Socoa, la route des falaises serpente jusqu'à Hendaye et l'Espagne.

Ciboure (Ziburu)
Sortie O. de Saint-Jean-de-Luz

Seul un pont sépare Saint-Jean-de-Luz de Ciboure, plaisant village-port dont les maisons se reflètent sur l'étal de la Nivelle et de la mer. Estuaire et ouverture sur le golfe ont souvent uni les destinées des deux cités, mais tous les points ne sont pas forcément communs. Ciboure est née de sa séparation avec Urrugne (1574), et les bateaux de plaisance sont à cette « tête de pont » ce que les bâtiments de pêche sont aux quais luziens.

Le bourg s'étage sur une verte colline, où des maisons néo-labour-dines s'implantent près des vieilles constructions (XVIIe-XVIIIe), apanage de la ville ancienne. Sur le **quai Ravel**, la maison natale du compositeur (1875-1937) : haute façade XVIIIe tout en pierre de taille, balcons à volutes de fer forgé, pignon flamand. D'autres belles maisons, plus régionales, s'alignent sur cette costière créant un support idéal pour marines. En agglomération, le choix est donné entre tous les modèles ; façades de pierres, colombages à encorbellements, logis discrets des ruelles de pêcheurs ou du quartier *cagot* (ces réprouvés frappés de tous les interdits), demeures plus connues des *coursiers* (XVIe au XVIIIe), des mareyeurs, résidences d'artistes disparus ou contemporains.

L'histoire de ce port est forte, entre autres circonstances, du soulèvement des Cibouriennes et Luziennes. Ces féministes du XVIIIe portèrent revendications près des États généraux de 1789, demandant leur participation à la préparation des réformes « liées au sexe ». L'équipée dramatique du Chamois fut l'affaire d'octobre 1867. Ce cotre serait resté dans l'oubli si son naufrage n'avait concordé avec celui des royaux passagers qu'il portait. Eugénie de Montijo (toujours elle !) et le prince impérial auraient en effet laissé leur vie au large, sans l'aide de marins *ziburutarrak* dont certains périrent pour les sauver.

L'église **Saint-Vincent** a servi d'ouvrage défensif (1575) puis fut peu à peu modifiée (surtout fin XVIIe, début XVIIIe). L'accès, sur un parvis dallé, passe par un portail Renaissance face à une croix de grès (1760). Le clocher octogonal en pierres, surmonté de lanterneaux en bois rouge et de couvertures d'ardoises à pans, est des plus origi-

Le clocher octogonal
de Saint-Vincent.

Ramiro Arrué

Né en 1892 près de Bilbao
et mort en 1971 à Saint-Jean-de-Luz, cet
artiste symbolise magnifiquement
hommes, paysages et couleurs du
Pays basque. Hors un séjour
parisien (1907-1917), où Arrué
rencontre de grands créateurs —
il fréquentera ou sera l'ami de Max
Jacob, Picabia, Klee, Picasso, Breton,
Cocteau, Ravel, Van Dongen... —,
le peintre s'installe à Ciboure (1918) puis
à Saint-Jean-de-Luz (1932). Régionaliste
et paysagiste figuratif, il sut aussi puiser
des sources dans l'art moderne ou
le cubisme sans perdre sa touche
personnelle. Artiste fécond, on lui
connaît plus de 2 000 œuvres, des
illustrations pour Jammes, Loti, Peyré,
des affiches, des émaux...
Dispersées dans de nombreuses
collections privées, ses toiles sont
également présentes dans la région :
Musée basque de Bayonne, musée
Saraleguinea de Guéthary, ville de
Saint-Jean-de-Luz... Malgré un intéressant
inventaire, couvrant certains de
ses séjours en Béarn, Ariège, Périgord,
R. Arrué fut surtout le peintre du
Pays basque ; la *Fenêtre sur Ciboure*,
les *Joueurs de pelote*, le *Fandango*,
les *Environs d'Ascain*, *Aïnhoa*, la *Famille
basque* n'en sont que quelques
exemples.

Tour de Bordagain, ancien poste de surveillance.

naux. L'intérieur est superbe : trois étages de galeries sculptées sous un berceau lambrissé (restauration XIXe) ; porte des *cagots* et des *cascarots* (gitans « maudits de Dieu et possédés du démon » venus d'Espagne vers le XVIe) ; retables, autels à colonnes, tableaux et grille forgée provenant de l'ancien **couvent des Récollets** (entrée du bourg). Cet édifice (XVIIe), couplé avec l'église Notre-Dame-de-la-Paix, occupera dès la Révolution des missions peu sacerdotales : dépôt, prison, garnison, usine, bâtiment administratif... Non loin, les couvertures d'usines sont la tenace marque industrielle de Ciboure : la *conserverie* (thon, sardines).

Au faîte de la colline s'élève la **tour de Bordagain**, octogonale comme le clocher de l'église, comme elle poste de surveillance (XIVe). Une **chapelle** y est accolée.

Le quartier de Socoa (*Zokoa*, 2 km au N.) est établi entre le débouché de l'Untxin et les premiers rochers dressés de la falaise où l'on appareillait pour la baleine.

Une petite **plage** en croissant et un **port plaisancier** animé et coloré attirent de nombreux estivants. Le môle se finit sur un puissant **fort** (1627) près de la cale existante. L'ouvrage et ses multiples rajouts ne furent terminés que cent vingt ans plus tard. Parfois attribuée à Vauban — qui réa-

Le port de plaisance veillé par le puissant fort de Socoa.

lisa seulement améliorations et levées secondaires —, la construction est d'un architecte militaire de la fin du règne d'Henri IV. Malgré la **digue**, entreprise en 1785 et terminée sous le second Empire et la troisième République (avec l'*Artha* au centre, *Sainte-Barbe* à l'E.), l'Océan poursuit ses colères sur Socoa. La jetée, pourtant doublée de blocs cyclopéens, doit être constamment réparée. Au-delà, la route de la *corniche* s'étire jusqu'à Hendaye, circuit de toute beauté.

Flysch crétacé de la « Corniche ».

En route vers Compostelle... Statue de saint Jacques, église d'Ahetze.

Guéthary (Guetaria)

6 km N. de Saint-Jean-de-Luz

Entre *Elizaldia*, près de la N 10, et la jetée promenade, l'agglomération dévale la falaise de maisons en jardins et de ruelles en replats. Ici, séduction rétro et animation balnéaire coexistent sans heurts. L'extension s'est faite en douceur, mais avec une juste vision des réalités touristiques.

Les vues sur l'Océan s'apprécient depuis les nombreuses terrasses ou allées du front de mer : les massifs de verdure et de fleurs y assurent un calme propice. La même tranquillité se ressent sur les criques sableuses entrecoupées et protégées par des bancs rocheux et un **port** de poupée, d'où les barques sont remontées par un cabestan ; la vente de la marée s'y effectue directement.

Guéthary a légué aux flots sa contribution en corsaires, baleiniers et terre-neuvas ; elle a également accueilli les pèlerins de la *Route Basse*

de Compostelle. Des faits de mer et guerres coursières ne subsistent que les dalles patinées de la rampe de pierre du vieux port. Des hommes de prière, l'on connaît la localisation du relais jacobite et quelques manuscrits... La paroisse remonte au XIIe siècle, mais l'**église Saint-Nicolas** fut remaniée au XVIIe puis au XIXe (clocher-porche). Les galeries boisées et des pièces de retable font l'ornement de la nef et du chœur ; une antique *croix de procession* (XVe) reste l'attribut le plus curieux.

Avec la petite ville on se doit enfin d'évoquer P.-J. Toulet, poète de la *douceur des choses* et maître du *groupe des fantaisistes*, mort ici en 1920, après une vie plutôt ténébreuse et libertine. Dans une maison cossue, un **musée** (1985) contient statuaire, lithographies et peintures.

Ahetze (*Ahetze*, 5 km S.-O.) conserve dans l'église à campanile-fronton une autre curieuse *croix de procession* (XVe), habillée de feuilles d'argent sur bois et médaillons-clo-

36

chettes ; agitées aux Rogations, elles étaient censées protéger les semailles des intempéries. Bien sûr, Pierre de Lancre, rendu furieux par l'« *infection* » des sorcières en Pays basque (où n'a-t-il horriblement sévi ?), lança l'Inquisition contre ceux du village : *« Leurs croix sonnent et leurs prêtres dansent, et sont les premiers au bal. »*

Guéthary, un décor de bout du monde...

L'usure de la mer sur les roches millénaires.

Témoins des fastes passés de la côte : la « Villa Rouge »...

... ou le casino néo-mauresque.

Hendaye (Endaia)
32 km S.-O. de Bayonne

En vis-à-vis de Fontarrabie (*Fuenterrabia*) et du cap du Figuier (*cabo Higuer*) que seul l'estuaire de la Bidasoa sépare de la France, Hendaye, ultime station balnéaire de la côte basque, est une cité tricéphale, faite d'un mélange de constructions XIXᵉ (casino « *mauresque* » de 1882), de maisons néo-basques de l'entre-deux-guerres, et d'habitats plus classiques. Énergiquement tournée vers le tourisme côté Océan, nostalgique en son centre, la ville est une clef frontalière par sa gare et son pont internationaux.

Douceur et régularité des lignes de vague, infime pente, sables fins du *front de mer* en font une station familiale. Vers l'est, la côte se relève sur les **falaises** des Deux-Jumeaux *(sic)*, pointe Sainte-Anne et hauteurs de Loya, rochers stratifiés couverts de landes. Sur cette avancée domine le château d'**Abbadia**, néo-gothique (style XVᵉ), dessiné par Viollet-le-Duc et ses élèves (1862-1870). L'édifice découpe ses tours rondes à clochers pointus et de grands créneaux sur fond de ciel et palmiers. Propriété du comte A. d'Abbadie d'Arrast (1810-1897), explorateur astronome (ami d'Arago, de Loti, de Napoléon III), elle fut léguée à l'Académie des Sciences. La décoration intérieure est superbe et le mobilier riche en pièces *troubadour* et œuvres d'art.

La ville ancienne fut active près de l'église **Saint-Vincent**, plusieurs fois endommagée (XVIIᵉ, début XVIIIᵉ) et réaménagée. Une croix cyclique (XVIIᵉ) mène plus à des évasions ésotériques (astres humanoïdes, lettres) qu'à la prière. Par contre, les œuvres religieuses (XIIIᵉ,

Le domaine d'Abbadia, propriété du Conservatoire du Littoral.

XVIᵉ, XVIIIᵉ) sont l'ornement de la nef, du chœur et des chapelles.

La **baie de Chingoudy** face à la marina espagnole abrite ports de pêche et de plaisance ; il y a encore vingt ans, micro-dunes et vasières, riches en oiseaux, s'y étalaient. La **Bidassoa** *(« la grande rivière »)* trace frontière sur dix kilomètres, depuis les monts d'Acozpe au sud. Lent et glauque, le cours est d'importance stratégique. En effet, prétexte à pactes, combats et rivalités séculaires, s'y déroulèrent : la libération de François Iᵉʳ (pri-sonnier de Charles Quint) en 1526 ; l'échange (en 1615) d'Élisabeth de France — fille d'Henri IV — et d'Anne d'Autriche — fille de Philippe III — pour leurs mariages respectifs ; les pillages (1636, 1639) de la guerre de Trente Ans ; le traité de 1685 pour les droits d'ancrage ; les interdits de navigation de 1715 et 1786...

À hauteur de **Béhobie** *(Behobia)*, dévoré par le trafic international après avoir été paisible quartier d'Urrugne, se trouve l'**île de la Conférence** ou des Faisans ;

L'âme et la ferveur basques dans l'art religieux de Saint-Vincent.

Tropiques ou côte basque ? les Deux Jumeaux.

Ici finit ses jours l'écrivain Pierre Loti.

tracé de la frontière ne sera définitif qu'en 1856 ! Le banc indivis, « *pas plus grand qu'une sole frite* » (Th. Gautier), n'est que peu entretenu. Depuis 1901, le droit de police appartient tour à tour à chacun des pays riverains.

Bien sûr, des **fortifications** protégeaient la frontière. L'une d'elles (quelques marches et demi-échauguettes près du monument aux morts) avait été édifiée par Vauban en 1686. L'ouvrage devait être rasé en 1793 par les armées espagnoles de don Ventura Caro.

Hendaye est patrie du dernier corsaire basque, Pellot (1765-1856). Réputé pour son courage, sa vivacité et ses idées, sa tête fut longtemps mise à prix pour une somme fabuleuse ; ce qui ne l'empêcha pas d'être décoré de la Légion d'honneur en 1843 et de mourir dans son lit à 91 ans. C'est ici aussi que le romancier Pierre Loti fréquenta sa villa « Bakar Etchea » de 1891 à 1893 et de 1895 à 1896, pendant ses fonctions de commandant de base de la Bidassoa (officier Julien Viaud), puis sur sa fin (1923). Les paysages de cet arrière-pays l'ont-ils aidé, avec ceux d'Ascain, à rédiger Ramuntcho ? C'est possible puisqu'il découvrit « *seul, à ce point extrême où finit la France... l'âme du Pays basque...* ».

Saint-Jean-de-Luz (Donibane-Lohitzun)
15 km S. de Biarritz

C'est ancien repaire corsaire et port baleinier a prix naissance dès la fin du IXe siècle près des embarras vaseux de la Nivelle : la cité n'était encore que « Saint-Jean-de-la-Boue ».

De tout temps, les Luziens ont été des marins incontestés. Embar-

Hugo y passant en 1843 en dira : « *Point de faisans dans l'île ! Cette vache et trois canards représentent les faisans ; comparses loués sans doute pour faire ce rôle à la satisfaction des passants...* » Savait-il que le nom dérive du terme de *faceries*, les protagonistes étant les *façants* ? L'île a été le cadre de nombreuses négociations. On se rappellera celles de 1659 entre Mazarin et don Luis de Haro, qui aboutirent au traité des Pyrénées, aux contrats de mariage entre Louis XIV et l'infante Marie-Thérèse. Et pourtant le

A l'entrée de la rue de la République.

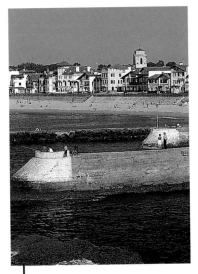

La passe du port de Saint-Jean.

Donibane fut toujours un grand port de pêche.

qués dès le Xᵉ siècle sur de frêles esquifs, ces hommes vont, comme leurs voisins du golfe, défier les baleines pour finir *coursiers*. Du XVIᵉ siècle aux environs de 1820, plus de cent navires menés par des gentilshommes-capitaines de renom (beaucoup ont leur rue dans la cité) écumèrent toutes les eaux : abordages, rançons, démantèlement de batteries ou de positions côtières sont liés à des sauf-conduits permanents. Plus au large, certains feront la route des épices et biens précieux, achevant leurs jours couverts d'honneurs, de titres et de privilèges, avec l'aval des plus grands de l'époque.

Juanoenia,
la Maison de l'Infante...

... et Lohobiague,
maison de Louis XIV.

Durant ces temps bénis, Saint-Jean s'est garni d'**admirables édifices**, face vue des richesses accumulées : les rues Vauban, Mazarin, Sopite ou Gambetta en conservent, construits *après* les ravages espagnols de 1525 et 1558 (seule la maison *Esquerrenea*, rue de la République, est antérieure). Deux superbes immeubles, biens de ces riches armateurs-corsaires, sont en outre marqués par l'Histoire. L'un, *Moccenia* (1643), plus connu comme **maison de Louis XIV**, préside aux destinées de la place principale. C'est un hôtel particulier construit par J. de Lohobiague, à tours carrées ou tourelles sur de délicates trompes, grandes arcades de plein cintre, toits d'ardoises. L'intérieur et les appartements se visitent ; divers aménagements sont l'œuvre de charpentiers de marine. Le jeune roi Louis XIV logea plus d'un mois au second étage, dans l'attente de son union avec Marie-Thérèse ; les époux y consommèrent leurs noces. C'est justement

dans le second bâtiment, *Joanoenia* (1640) ou **maison de l'Infante**, que séjourna, face au port non loin du futur Roi-Soleil, Marie-Thérèse d'Espagne accompagnée de la reine mère Anne d'Autriche (Mazarin étant à Ciboure). La maison, qui appartenait aux Haraneder, est un beau logement en pierres et briques, avec tours d'inégale largeur, grande porte à gable frappé d'ancre et prunier, les armoiries du maître.

Le mariage royal eut lieu le 9 juin 1660, précédé de fastes considérables durant trente jours : défilés princiers harnachés et enrubannés, danseurs, jeux terrestres ou nautiques, prestations des notables de la Cour. Saint-Jean était devenu le « *pétit Paris* » au détriment de Bayonne, son « *escuderie* » (écurie). Les épousailles, qui scellaient aussi le traité des Pyrénées (novembre 1659) se montrèrent exceptionnelles ! La grande porte de l'**église Saint-Jean-Baptiste** fut murée une fois les cortèges sortis, occultation toujours visible et marquée d'une plaque.

Le Labourd (Lapurdi)

Sur fondements romans (XIIᵉ), repris, brûlé, le monument gothique (XIVᵉ-XVᵉ) a été très agrandi entre 1649 et 1650, puis restauré ou modifié (XVIIIᵉ, XIXᵉ). C'est l'une des plus *somptueuses* églises du Labourd. Les remaniements ne gâchent en rien l'allure générale de l'œuvre, non plus que certains détails ; on remarque ainsi une élégante balustrade forgée sur l'escalier extérieur des tribunes (1855), ou un portail flamboyant (1868). Les proportions internes sont si bien étudiées que les trois étages de lourdes galeries (cinq en fond) — restaurées sous Napoléon III — s'intègrent dans la nef avec une aisance rarement égalée. Le décor du chœur est luxueux ; notons la double voûte ogivale à festons et arabesques ; l'autel très surélevé (art basco-cantabrique), bordé d'une grille forgée et coiffant une sacristie à parements sculptés ; le retable (1670) à trois étages de statues, colonnes torses et entrelacs ; les jeux d'orgue (1656) ; les objets d'art ou d'histoire : lutrins (1667), habits brodés du mariage de Louis XIV, *ex-voto* (l'Aigle, bateau offert par l'impératrice Eugénie ; *voir Ciboure*), tableaux de valeur...

La guerre maritime, les traités d'Utrecht (1714) et la fin de la *course* terniront peu à peu l'image et la prospérité de la ville la plus riche de la Côte. Les morutiers vont passer au thon, d'abord en baie puis, bien au-delà de l'Artha, enfin très loin comme au temps des hauturiers. Aujourd'hui, les marins partent pour de longues semaines sur les côtes d'Afrique, équipés de navires frigorifiques munis de *sonars* : le retour des bateaux et de l'équipage reste toujours un événement. Le rite du déchargement au **port** devient le moment privilégié,

Saint-Jean-Baptiste, le grand escalier sud.

même si les plus gros bâtiments accostent à Bayonne.

Saint-Jean a porté également ses chances vers le tourisme. L'été, c'est la fête permanente dans les vieilles rues et aux alentours du port, notamment sur la **place Louis-XIV** (ancienne place Royale). Ce grand espace ombragé de platanes en charmilles est un agréable pôle d'attrac-

Détail du portail flamboyant.

Le néo-basque derrière
le perré du front de mer.

statue équestre du Roi-Soleil. Ce bronze martial attire l'attention sur un bel escalier menant à la **mairie**, édifice de 1654 à couronnement de volutes et courbes, balcons à consoles et balustrades très espagnoles.

Le mouvement des bains de mer date de Napoléon III, qui soutiendra le début de vrais grands travaux (1867). La **plage** s'étire en ovale régulier entre le chenal du port (face à Ciboure) et le promontoire de Sainte-Barbe (falaise à plis spectaculaires). Très protégée par trois digues, la baie est gage de sécurité pour la baignade, la planche et la voile. Le **front de mer** aligne une série d'édifices aussi bien modernes qu'entre-deux-guerres, souvent néo-labourdins, quelquefois Arts déco (Casino, 1928). D'ici à la passe, d'autres maisons datent aussi de la fin du XIXᵉ et du début XXᵉ : clochetons, pergolas, bow-windows, céramiques, vérandas... sont fréquents. Le tout s'abrite derrière une digue-promenade du XIXᵉ ; plusieurs tempêtes folles avaient emporté, les siècles passés, des dizaines de maisons (1749) ou tout un quartier et son couvent (1783).

Ces risques sont maintenant effacés, et l'on peut goûter, le soir venu sur la baie, au charme de la noria des ligneurs bleus ou verts à filets blancs et flotteurs à fanions multicolores. Ces dizaines d'embarcations lèvent sardines, anchois ou *chipirones* qui font la renommée culinaire de la région. Puis, sur les coups de minuit, l'on donnera, place Louis-XIV, l'étonnant *toro de fuego*, taureau de carton chargeant parmi la foule dans un délire d'étincelles avant de mourir très haut dans le ciel sous forme d'une couronne de feu.

tion, qu'occupe en son centre un kiosque Belle Époque ; sur ses flancs, une succession de commerces et de cafés, veillés par la

Les fondations du château d'Urtubie
remontent à 1341 !

Urrugne (Urruna)

5 km S.-O. de Saint-Jean-de-Luz

Primitivement Urruina, pillée pendant la guerre de Trente Ans, rattachée à Hendaye jusqu'en 1647, la bourgade s'aligne paisible à l'écart de la grande foule. Belle église romane **Saint-Vincent-de-Xaintes** (fondements XIᵉ) à parties Renaissance espagnole (portail à curieuse statuaire). Le mobilier est assez remarquable ; un bénitier à cloison (pour les *cagots*), des ornements et objets d'art (XVᵉ, XVIIᵉ, XVIIIᵉ), dont une chaire sculptée encastrée dans les galeries, relèvent la noblesse intérieure.

À la sortie O., un chemin grimpe jusqu'à **Notre-Dame-de-Socorri** (du Bon-Secours) où le point de vue a autrefois justifié l'installation d'un camp fortifié et d'anciennes redoutes sur les proches collines. Des tombes discoïdales voisinent avec celles des victimes du choléra (1833-1865).

Sur le N.-E., la voie vers Ciboure croise le **château d'Urtubie**, manoir (XIVᵉ) à allure de maison forte. Louis XI y eut une entrevue avec le roi d'Aragon. L'édifice, ruiné en 1497, fut rebâti vers 1510 ; il est connu pour avoir abrité une multitude de grands personnages, dont des généraux napoléoniens. De précieux objets d'art, mobilier, tapisseries, y sont conservés. À voir aussi, le *parc botanique « Florenia »*.

Si l'on a choisi, par *Herboure* (8 km S.), la montée vers la frontière, ce sera dans un frais vallon où alternent vieux arbres et fougeraies. La route atteint alors le **col d'Ibardin** (317 m) ; véritable supermarché du tourisme frontalier, des dizaines de *ventas* proposent épicerie, poteries, luminaires, bijoux, cigarettes et victuailles dans une certaine cohue. La frontière passée, **Vera de Bidassoa** n'est plus qu'à 7 km en contrebas.

Portail de l'église fortifiée,
de facture guipuzcoane.

Notre-Dame d'Aïnhoa :
galeries bois tourné et voûte
à caissons.

Le bassin
de la Nivelle

Ainhoa (Ainhoa)
11 km N.-O. de Cambo-les-Bains

Avec ses maisons bâties de part et
d'autre d'une voie unique et recti-
ligne, Ainhoa est le modèle parfait
du *village-rue*. Cette organisation
rurale peu fréquente en Pays

Le retable corinthien
polychrome et or.

basque, alliée à l'harmonie des habitations en font un bourg de caractère, en totalité classé.

L'agglomération quasi frontalière fut créée par l'ordre des Pré-
montés au début du XIIIe siècle :
Saint-Sauveur-d'Urdax, en Navarre, était à deux pas de mule et les
jacquets — pèlerins de Compostelle — parcouraient nombreux les
chemins de la région.

La séduisante église **Notre-
Dame** en grès ocre et violacé, rehaussée (fin XVIe), remaniée et composée
de deux parties un peu hétérogènes,
ne manque cependant ni d'élégance
ni d'originalité (belle abside en cul-
de-four). Son clocher-tour carré à
cinq niveaux s'achève par une tourelle octogonale en retrait, encadrée
de pyramidions et coiffée d'une
flèche à pans d'ardoises (XVIIe). L'intérieur renferme les spécificités de la
plupart des sanctuaires d'*Euskal
Herri* : galeries de bois tourné (1649),
maître-autel surélevé, retable à

alvéoles ou panneaux rouge et or garnis de statuettes. Une coupole peinte à festons surmonte l'ensemble.

Les façades des **maisons** sont ici hautes, souvent étroites et jointives comme l'ordonnait l'édification des bastides. Dès lors, la place habitable se gagnait en longueur et le bâtiment se prolongeait sur l'arrière par un jardinet indispensable à la subsistance familiale. Après l'incendie de 1629 provoqué par les troupes espagnoles, le village reconstitué s'agrandira ou se modifiera jusqu'au XVIIIᵉ siècle. Les habitations à toit très débordant s'organisent sur un rez-de-chaussée à *murs épais*, crépis ou en pierres apparentes, que surmontent les *étages à colombages* ; chaque niveau fait saillie sur le précédent. Les têtes de solives finement sculptées ou chantournées sont ici fréquentes, parfois soulignées par un balcon de bois (XVIIᵉ) ou de fer forgé (XVIIIᵉ-XIXᵉ). Ces maisons à beaux linteaux historiés sont la fierté du village.

À 3 km S., **Dancharia** (*Dantxaria*) marque la limite de la France et de l'Espagne. Les maisons font face à celles de **Dancharinéa** que seule la Nivelle sépare, du moins naturellement. Les *ventas*, commerces-bazars où tout se vend, ont prospéré à cheval sur les deux pays ; ici, langues française et espagnole sont jumelles, et l'*euskara* que l'on parle de part et d'autre n'a aucune démarcation.

À l'ouest, les vallées fraîches et boisées de la Nivelle ou de l'Opalazio ondulent près d'étincelants ruisseaux. À l'est, une route forestière effleure la frontière et mène à plusieurs points de vue sur un paysage coloré dans un poétique vallonnement : Labourd au nord et Navarre au sud confondent, ici, leur identité pastorale.

Ascain (Azkaine)

7 km S.-E. de Saint-Jean-de-Luz

Au marché...

Sur écran de collines au nord et fond de montagnes au sud — la Rhune n'est pas la moindre —, le berceau de *Ramuntcho* respire au rythme de la campagne basque mais sent déjà l'Océan et le *moscatel* navarrais.

La mer se gagne très vite par route ; on coupe le beau **golf de Chantaco** et ses hôtels néo-labourdins le long de la Nivelle *(Urdassuri)*. Cette voie fluviale offre l'agréable traversée de *barthes*, marécages à roseaux peuplés d'oiseaux limicoles, que l'urbanisation côtière rend plus discrets. Il reste en effet peu des mystérieux marais saumâtres de **Teyleria** et de la *ria* de J. Peyré où *« certains soirs, le soleil rouge des couchants reste en suspens sur un ciel de marine hollandaise »* ; heureusement, le fleuve près d'Ascain a conservé ce charme, que protège sa position intérieure. L'Espagne n'est pas loin, atteinte par le **col de Saint-Ignace** (3,5 km) et son train à crémaillère, ou par Herboure et le **col d'Ibardin** (16 km).

Comme d'autres cités basques, la ville a été marquée par les persécutions du chancelier Pierre de Lancre au début du XVIIᵉ siècle. Il instruisit ici procès et bûchers de sorcellerie, dont celui du curé. Pendant la Révolution, de jeunes *askaindars* désertèrent avec ceux de villages voisins ; ils protestaient contre les brimades exercées sur les habitants de Sare, qui refusaient un curé constitutionnel. Les représailles furent vives et plus de 4 000 « suspects » furent déportés. Ascain en vit ainsi emmener 162 vers les Landes, où beaucoup moururent d'épuisement. Entre-temps, leurs biens avaient été récupérés par les « patriotes » ; les survivants ne

Le clocher-porche massif de Notre-Dame-de-l'Assomption.

Un manoir régional bien typé : Azkubea.

Ce pont « romain »... du XVIIe siècle franchit la Nivelle.

purent revenir au village qu'en 1795, après la chute de Robespierre.

L'église Notre-Dame-de-l'Assomption (XIIIe), agrandie et reprise en 1626, comporte trois galeries (fin XVIe-XVIIe) et un retable (XVIIe ; statuaire plus ancienne). Le clocher-porche, à peine ajouré de quelques abat-son, est particulièrement massif. Accueillante et fleurie, la **place centrale** et le fronton dallé s'organisent près de maisons blanches à boiseries vertes et toits ocre encadrées de vigne-vierge ou glycines. **L'hôtel de la Rhune**, à belles arcades et galerie bois, fut résidence de Pierre Loti, marin et romancier. Entre deux séjours à Hendaye, il y écrivit *Ramuntcho* en 1897. Cette étude de caractères régionaux, assez observatrice, donne une image agréable du Pays basque mais parfois un peu stéréotypée.

Pour achever la visite, on verra aussi des **maisons** à colombages, gouttereaux à redans et fenêtres à meneaux de bois. Le **pont « romain »** à trois arches, dont une centrale imposante, ne date en fait que du XVIIe siècle ; l'ouvrage, cependant inscrit, fait partie de ces marques chronologiques souvent surestimées.

Quartier sud, le **manoir à tourelle d'Azkubea** (route qui monte au col des Trois-Fontaines) appartint à Johannes de Sossiondo, évêque de Bayonne de 1566 à 1578.

Espelette (Espeleta)
6 km E. de Cambo-les-Bains

Par Ustaritz au nord ou Cambo à l'est, la descente de **Basseboure** vers la vallée du Laxia ouvre la meilleure vue sur le village. Son caractère labourdin est indéniable et l'ensemble s'incorpore à l'écran

L'imposant château (actuelle mairie) est aussi à voir pour son intérieur.

de collines où prés et bosquets se font concurrence. Point (ou si peu) de buis, arbuste qui aurait donné son nom (*ezpela*) au bourg !

La fonction de place féodale a gravé en Espelette des signes spécifiques, telle la protection avancée du puissant et rude **château**, grand bâtiment quadrangulaire à tour ronde. Des restes de fossés et ouvrages de soutien complètent ce qui appartint à la seigneurie des Espeletta, attestée en 1059. Cet ouvrage militaire (aujourd'hui *hôtel de ville*) était épisodiquement habité. Les maîtres avaient divers intérêts en Espagne, ce qui ne tarda pas à créer des choix conflictuels, surtout lorsque les royaumes s'affrontèrent (1624). Par arrêt du parle-

ment de Bordeaux (1637), les biens seront confisqués et le château sera sinistré par les *espeletarak*. Ils furent condamnés à le reconstruire sur requête d'une descendante, mais la dette ne fut acquittée qu'en 1670 ; les villageois reprendront possession de tous les titres en 1694 grâce à la dernière héritière, doña Juliana Henriquez. Les magistrats d'Espelette eurent dès lors valeur de barons jusqu'à la Révolution.

L'église **Saint-Étienne** (1630) montre un clocher-porche Renaissance et une nef qui s'appuie sur de gros contreforts. Elle renferme trois étages de galeries ; une esthé-

... mérite également qu'on y entre.

Le piment d'Espelette

Rapporté vraisemblablement du Mexique fin XVe, cultivé en Castille au XVIe, on pense que le « poyvre d'Inde » fit l'objet d'échanges commerciaux entre Labourd et Guipuzcoa courant XVIIe. La région d'Espelette commence ses propres semis au XVIIIe, qui ne sont cependant attestés qu'au siècle suivant.

Utilisé lors de fêtes religieuses (mariages), en médecine populaire (révulsif, carminatif) et en alimentation, le piment rouge devient surtout, réduit en poudre, le *bipergorria* (conserves, jambons, mets relevés...). Aujourd'hui, sa culture s'étale entre avril et octobre, la maturation des fruits commençant dès juin, la récolte se faisant de mi-août à début novembre. Le séchage s'effectue sur des *cordes* de 50 à 90 piments sur trois rangs, accrochées aux façades des maisons pendant deux mois environ. Ensuite « brûlé » dans un four (le tour de main le plus délicat), le piment est broyé et ensaché. Certains sont gardés en morceaux pour relever la cuisine traditionnelle.

De quasi autarcique jusqu'aux années 50, cette culture est passée — tout en restant subordonnée à des règles identitaires strictes — à une véritable économie de marché : plus de 200 000 pieds par an et un dossier d'AOC sur le point d'aboutir.

Ici, le piment participe d'un décor sans flagornerie touristique.

tique chaire à panneaux ; un splendide retable baroque doré à colonnes torses et alcôves garnies de saints et scènes pieuses (XVIIe).

L'animation dans le **village**, lieu et nœud d'excursions, mais aussi de marchés (lettres patentes de 1721), s'accommode bien de son aspect coquet et coloré ; les maisons fleuries, l'alternance des boiseries et des pierres de taille en font une délicieuse bourgade. Aux *foires* d'hiver et de printemps (agneaux) s'ajoute un **marché aux chevaux** réputé (janvier), connu dans tout le pays. Il s'y négocie notamment la vente des *pottokak* demi-sauvages qui courent des pentes de la Rhune à celles de Louhossoa le reste de l'année.

Le *piment d'Espelette* est fêté en octobre. Ce « *petit fruit infernal* » enflamme les façades blanches des maisons... puis le gosier du consommateur. Séché en guirlandes, le piment relève jambons, pipe-

rades, omelettes, *tripotx* (boudin de veau), *atxoa* (hachis de veau), *bakalao* biscaïenne (morue)... « *La plus grande fierté basque, c'est d'avaler sans sourciller du piment rouge... d'un air entendu et mystérieux...* », s'étonnait Francis Jammes ; lequel s'effrayait de « *la flamme qui leur* (ses amis) *montait à la face... le supplice de la damnation semblant les embraser...* ».

Rhune (la) (Larrun ; Larraona)

Par le col de Saint-Ignace :
3,5 km d'Ascain

La silhouette parfaitement indivi-dualisée de ce massif montagneux est un symbole en Labourd. De partout le regard s'y porte, tous la connaissent ; pourtant, l'on vous dira qu'elle est chaque jour diffé-rente. C'est certain qu'il faudra voir, en toutes occasions et saisons, cette montagne si proche de la mer : blonde à l'aurore, feu au crépus-cule ; vert et safran lorsque crosses des fougères et fleurs d'ajoncs la couvrent au printemps ; rousse des *touyas* et cardinale des bruyères d'automne ; noire et menaçante quand l'hiver l'enveloppe ; bleue quand le vent du Sud — *haize hegoa* — souffle du Guipuzcoa...

Parcourir la Rhune à pied est la meilleure façon de connaître les mille secrets de cette « *bonne lande* », que l'impératrice Eugénie gravit à dos de mulet, calée dans un étroit *cacolet*. On découvrira une flore diversifiée en lisière des pelouses sillonnées par les chevaux ventrus et farouches. Dans ces étendues, où les sorcières

Ce sympathique petit train vous conduit en une demi-heure au sommet de la Rhune.

Vue d'Ibardin, la montagne symbole des Basques en sa totalité.

Le grand décor du retable majeur à Saint-Pierre.

étaient pourchassées autour de l'oratoire Saint-Esprit — disparu —, de nombreux *cromlechs* et *dolmens* se disputent le passé avec les *redoutes* du premier Empire : Urkila, Trois-Fontaines, Koralhandia...

La solution reposante passe par l'utilisation du sympathique *train à crémaillère* qui, du col de Saint-Ignace (169 m), conduit aux plates-formes du sommet (900 m). Un immense panorama s'ouvre alors de cette *« montagne d'un seul tenant... dont seule une borne de pierre divise le sommet »* (J. Peyré) ; l'on parcourt en un instant la côte des Landes à l'Espagne, le Pays basque, et parfois les massifs haut-pyrénéens..., sur la lame de Labourd et Navarre.

Saint-Pée-sur-Nivelle (Senpere)

13 km E. de Saint-Jean-de-Luz

Petite cité en plein cœur du Labourd, Saint-Pée, gaie et ordonnée, attire une foule de visiteurs toute la saison. Le paysage rural qui l'entoure, modelé de collines, sillons de feuillus et de déprises, n'est pas étranger non plus à cet attrait ; et la Nivelle, y traçant une série de méandres (*plaines d'Amotz*), ajoute un charme complémentaire.

La ville est attestée au XIIe siècle, mais se situait alors à *Ibarron*, à 2 km à l'O. : y subsistent de vieilles fermes. Au XIVe, le bourg actuel s'étoffe à partir d'une maison noble (*Gastambidea*) ; elle donnera plusieurs baillis tandis que des familles de « chirurgiens » et de commerçants apporteront la richesse locale. Pierre de Lancre fit ici aussi régner la terreur.

L'auteur du « Tableau de l'inconstance des mauvais anges et démons, où il est amplement traicté des sorciers et de la sorcellerie... » (1612) brûla vifs des dizaines d'hérétiques (femmes et enfants surtout) au **château** (XIVe-XVe-XVIIe). Il reste quelques ruines, malheureusement peu représentatives de cette *« tour des sorcières »* : donjon carré, pans de murs, porte ogivale et portail (1704), ouvertures Renaissance. Il faut dire que l'édifice fut défiguré à plusieurs reprises (XVe, XVIIIe...).

L'**église Saint-Pierre** (XIIe-XIIIe) a été très remaniée (notamment vers 1610). C'est principalement à l'intérieur qu'on appréciera le sanctuaire : tribunes, retable et statuaire (XVIIe), voûte à nervures, dalles funéraires (*les jarlekus*). Elle fut longtemps le centre des *assemblées capitulaires*, regroupant les *maîtres de maison* à l'issue de l'office dominical ; contrairement aux autres paroisses labourdines, le seigneur de

La place de Sare, haut lieu de rencontres et de festivités.

Ici se déroulèrent d'horribles procès en sorcellerie.

Saint-Pée et le sieur d'Urtubie à Urrugne avaient autorisation de participer à ces délibérations.

Plusieurs **maisons** *bourgeoises* (XVIIᵉ, XVIIIᵉ) sont remarquables par leur allure et leur importante décoration ; elles se situent surtout dans la rue principale. Ici fut inventé le *chistera* (1857), gant d'osier qui prolonge le bras des *pelotaris* sur les frontons d'Euskadi et… d'Amérique.

Sare (Sara)

14 km S.-E. de Saint-Jean-de-Luz

Sare serait la « Mecque de la contrebande » ; souvenir d'antan, mythe ou réalité encore vive ? En tout cas, la frontière cerne partout la commune, et *passer* est un simple « travail de nuit », le *ganazko lana*… Une autre popularité reste la chasse aux palombes, pratiquée en automne ; les emplacements très connus sont près du **Sayberri** et à

Le ruisseau d'Atxuria creusa le sanctuaire préhistorique de Lezea.

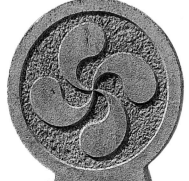

La « svastika », croix basque où tout s'inscrit dans cercles et arrondis.

Etchalar, où appeaux, pantières et cabanes haut perchées guettent le passage de l'*oiseau bleu*. Par-dessous, moutons et chevaux circulent en toute paix : les *faceries* donnent libre galop sur les *municipios* espagnols de Baztàn, Echalar et Vera.

Pourtant, l'Histoire ne fut pas toujours signe de bonheur ; le territoire dut à plusieurs reprises faire face aux envahisseurs, tant et si bien que Louis XIV l'en remercia (cartouche de 1693). Il se trouve d'ailleurs certaines maisons fortifiées, telle « *Haramburua* », à l'en-trée de la vallée du Lissuraga, *dorrea* des XVIe-XVIIe. À la Terreur, des centaines de *saratars* furent déportés : ils avaient refusé le nouveau curé. Et vers le sud, les grottes servirent de refuge aux carlistes (1872-1876) qui y cachèrent un trésor (?)... des munitions et un hôpital de campagne.

Le pittoresque village s'agence autour d'une vaste place centrale, sorte de patio très animé. Les **habitations** (XVIIe-XVIIIe) n'ont guère de colombages ; la « ville » est jointive, sur plan de bastide, et ces maisons carrées aux toits à quatre eaux sont dites « bourgeoises ». Certaines s'asseoient sur des rangées d'arcades plein cintre ou en anse de panier. Les volumes de la nef et du clocher carré de l'**église Saint-Martin** (début XVIIe, modifiés XVIIIe) frappent par leur importance. À l'intérieur, somptueusement orné, l'intérêt peut notamment se porter sur le grand retable (tableaux anciens du début XVIIIe), la chaire peinte et les trois étages de galeries. Un théologien de marque, Pedro de Axular (1556-1664), défendit ici la pureté de la langue basque.

Dans les environs, l'habitation rurale fait preuve d'une luxuriance de formes et décors. Les quartiers-rues de **Lehenbiscay**, d'**Ihalar**, d'**Histilarte** possèdent les plus anciennes maisons (XVIe), dont la très belle ferme « *Ibarrart* » à porte ogivale. Sur fond de Rhune (Lissuraga, Lizarietta) se sont construites les plus grosses *etxe*, dont le gigantisme n'enlève rien à l'esthétique. « *Lapitzea* » représente le modèle majeur de ces structures (XVIIIe), aux herbages généralement clos par de grandes dalles plantées dans le sol.

Les **grottes de Lezea** (7 km S.) sont aménagées. Constituées d'une

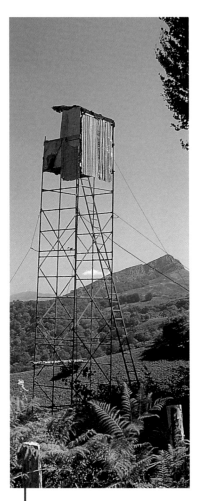

Pour guetter « l'oiseau bleu »,
la palombe.

De Sare, l'Espagne se rejoint par la D 406, au travers de beaux ravins boisés aboutissant au col de Lissuraga (250 m, 6 km S.-O.). La D 306 suit un parcours sinueux et donne sur le col de Lizarietta (441 m ; 11 km S.) ; la vue y est plus dégagée mais, quel que soit l'itinéraire retenu, aucun de ces circuits ne déçoit le promeneur.

Le bassin de la Nive

Cambo-les-Bains (Kanbo)
20 km S.-E. de Bayonne

Les sites paléolithiques de l'*abri Olha* et romain du *camp de César* (au S.-O.) sont probablement les racines de l'agglomération. Mais il faut plus pratiquement lier son développement à ceux du thermalisme (XVIIᵉ-XIXᵉ) et du traitement des affections pulmonaires. Mutations techniques et changement des mentalités aidant, la ville a su tirer parti, au plan touristique, de ses atouts climatiques, des attraits de son passé et de sa situation géographique privilégiée.

Cambo a de tout temps attiré des hôtes célèbres, en raison des soins qu'on y prodiguait. Dès le XIIIᵉ siècle, l'un des Gramont vint y guérir ses blessures de guerre ; Marie-Anne de Neubourg, douairière d'Espagne, y séjourna en 1728, suivie par Charles de Secondat, baron de Montesquieu. À la charnière du curisme de haut degré et du tourisme moderne, d'autres célébrités ont haussé et diffusé l'intérêt du lieu. Napoléon Iᵉʳ, Louis-

immense voûte et d'un réseau de galeries, elles furent l'abri des hommes du paléolithique. Les fouilles (fin XIXᵉ-début XXᵉ) ont livré un outillage abondant et des restes d'animaux (ours, renne, loup...). L'exploitation, publique puis privée, a été remodelée ; la commune et plusieurs organismes constitués en groupe de travail ont repensé visites et activités périphériques. Des moyens techniques modernes mettent en valeur ce haut lieu souterrain.

Stèle tabulaire, une forme
rare sur les sépultures.

Les pergolas
et l'orangeraie d'Arnaga,
« poème de verdure ».

Philippe, Napoléon III et Eugénie de Montijo, œuvrèrent dans ce sens. Édouard VII d'Angleterre venait prendre le thé à l'hôtel des Thermes, admirer le *pelotari* Chiquito de Cambo et — comme Alphonse XIII, roi d'Espagne — effectuer des promenades nautiques sur *« l'eau charmante de la Nive calme et longue »* d'Anna de Noailles.

La période de convalescence d'Edmond Rostand, frappé de pleurésie au début du siècle, fut également déterminante pour Cambo. Venu s'y soigner sur les conseils du docteur Grancher, il fut rejoint par ses amis. C'est surtout par la réalisation de sa résidence **Arnaga** (1903-1906) qu'il attira l'attention sur le site ; il y écrira *Chantecler* (1910) dans le décor des *« montagnes mauves et de la Nive bleue »*. Arnaga est construit sur le **coteau d'Ussia**, entre Cambo et Laressore. C'est une énorme villa néobasque qui domine la Nive et fait front aux Pyrénées. Dans une vieille chênaie, la demeure est mise en valeur par un superbe jardin à la française ; le parc floral et les jeux ou plans d'eau mettent aussi en relief un pavillon à pergola (inspiré de Schönbrunn) et une orangeraie. Le **musée** renferme, en un cadre feutré et presque familial, des souvenirs de l'écrivain-académicien.

Le **Haut Cambo** romantique s'accorde à l'ambiance paisible qui y règne ; un très beau **belvédère** surplombe la rivière et son cours champêtre, face à une mer de coteaux et au mont Ursuya.

L'**église Saint-Laurent** (XVIe) a toutes les caractéristiques régionales, modèle même de l'église « théâtre ». Le superbe retable (XVIIe) en bois doré abrite notamment, entre colonnes torses à grappes de raisin, le *Martyre de saint Laurent,* œuvre de Le Sueur. Autrefois supportées par des jambes de force, les galeries moulurées et patinées sont à présent soulagées d'une partie de leur poids par des poteaux. Le porche, dont le mur arcade se prolonge sur un clocher octogonal, a été remanié en 1874-1876. Une pietà restaurée supporte sur son bras *gauche* la tête du Christ. La statue de saint Léon est un don de la reine M.-A. de Neubourg (1728). L'ancien cimetière est devenu

pelouse émaillée de discoïdales et croix sculptées (XVIIe et XVIIIe), qui voisinent avec de rares stèles tabulaires, plus spécifiques du Labourd.

Le **Bas Cambo** offre le cachet d'un vieux village aux maisons pimpantes et fleuries. C'est là que les *batelets* venant de Bayonne pouvaient aborder : ces chalands très étroits, menés par un seul homme, transportaient marchandises et passagers.

Le **quartier des Thermes** garde souvenir de la bataille entre les armées de Soult et les Espagnols de Mina, pour conserver la libre circulation sur la Nive. Le calme revenu, ses futaies furent un lieu de promenade sous le second Empire ; on s'y

repose encore entre deux séances de soins : les eaux y traitent affections respiratoires ou articulaires. Mais croit-on aujourd'hui à la tradition qui supprimait toute maladie une année durant à ceux qui buvaient l'eau de la source la nuit de la Saint-Jean ?

Itxassou (Itsasu)
4 km S. de Cambo-les-Bains

Plusieurs *quartiers* partagent le village, qui comprend aussi des maisons éparpillées à mi-pente des dômes ou près des vallons. Ces contreforts montagneux mais adoucis donnent un paysage tendre, qui cède quelques mois le pas aux deux étonnantes saisons du secteur. Au printemps, la floraison des cerisiers (fête locale en juin) transforme le moindre recoin en éden neigeux ; à l'automne, les reliefs se parent de brun, safran ou pourpre, alors que sur fond de ciel pastel passent les premières *palombes*.

A ce « Mauvais passage », on perça cette arche, devenue le « Pas de Roland ».

Le *quartier Errobi* est fier de son église **Saint-Fructueux** (remaniée en 1670), l'un des plus beaux monuments religieux du Labourd. Éclatant de blancheur infiltrée de superbes parements de pierres, ce vaste édifice se rehausse d'un clocher carré à double toit-pagode en ardoises. Un remarquable cimetière conserve une série aussi spectaculaire que diversifiée de tombes *discoïdales* ; certaines appartiennent à une série dite *art funéraire de village*, d'autres sont des *tabulaires* (XVIIᵉ). L'intérieur est magnifique : trois étages de galeries (XVIIᵉ) s'adjoignent une chaire et un encorbellement pour les chanteurs ; le retable doré du chœur est rehaussé de peintures anciennes et bas-reliefs polychromes. À ces trésors s'ajoutent des pièces d'orfèvrerie (argent massif, émaux et gemmes), des statues et tableaux. La toile prestigieuse (XVIIᵉ, restaurée en 1985) représentant saint François d'Assise est attribuée au peintre sévillan Murillo, dont divers grands musées mondiaux se disputent les œuvres. Sous la Terreur, une partie de ces pièces sacrées faillit disparaître. Leur sauvegarde n'est due qu'au mutisme de quelques habitants, aussi courageux qu'était forte leur foi.

À 2 km à l'O. du *quartier de la Place*, on rejoint le **plateau d'Urzumu** (184 m), qui permet de s'orienter et d'avoir de très belles vues sur la région. Au sud, par Errobi, la route s'encastre dans des rochers déjà entaillés par la Nive. Cette saignée en corniche atteint, 2 km après le bourg, le *quartier du Laxia* et le **Pas-de-Roland**, connu aussi sous le nom d'*Utheco Gaiz* (le mauvais pas). Ce rocher fendu, remodelé par l'homme, serait l'œuvre des sabots furieux du cheval de Roland fuyant les Vascons,

ou une brèche ouverte d'un coup d'épée par le célèbre neveu de Charlemagne. Un défilé tortueux et étriqué remonte ensuite au S.-O. le **ravin du Laxia** ; à mi-chemin, des mines de fer abandonnées dans une zone de chaos rocheux et, sur les sommets dénudés, divers vestiges protohistoriques. Pelouses et landes sont la couverture des dernières hauteurs menant au **pic d'Artzamendi** (926 m) par Mehatxe. De cette « montagne de l'Ours » où « *la technique supplantant la légende a dressé des antennes de faisceaux hertziens* » (J. Peyré), la vue est immense et grandiose.

Ustaritz (Uztaritze)
15 km S. de Bayonne

La grande dépression de la Nive, sous Cambo, ne se libère de l'étau montagnard qu'à hauteur du bourg. À quelques encablures de Bayonne, cette terrasse d'alluvions, couverte de verdure entretenue par l'humidité, reçut les semailles, dès 1523, de l'*artho-mairo*, le maïs qui contribuera à la richesse régionale.

Ustaritz s'étale dans ce cadre séduisant, que les brumes rasantes et le camaïeu automnal mettent mieux en valeur. S'imagine-t-on que la cité eut d'importantes fonctions du XIIᵉ siècle à la Révolution ? Elle fut en effet longtemps capitale du Labourd, les responsabilités étant assumées par une assemblée de tiers état : ce « *biltzar* » gérait 35 paroisses, sous contrôle d'un bailli. Les réunions populaires, d'abord tenues sous un chêne, puis au **château de la Motte** (XIIᵉ) — remplacé par la mairie —, avaient aussi fonction de justice.

Le **séminaire** diocésain Saint-François-Xavier (1926) surplombe les quartiers de **Bourg-Suzon** et du **centre** ; en bord de Nive, les moulins étaient nombreux et les berges recevaient *galupes* et *chalibardes* du commerce fluvial, jusqu'au XIXᵉ. Ces bourgades, ainsi que celles de **Saint-Michel** et d'**Herauritz** gardent encore des maisons des XVIᵉ au XVIIIᵉ, celles des collines étant généralement plus récentes.

Les frères Garat sont notoirement connus dans l'histoire régionale : Dominique-Joseph (1749-1833) fut ministre de la Justice sous la Convention et dut, à ce titre, signifier à Louis XVI la sentence de peine capitale ! L'ancien député au Labourd devint professeur à Normale

Le retable de Saint-Fructueux, église d'Itxassou.

Atelier Ainciart-Bergara, Larressore.

(1794), membre de l'Institut (1795). Cet « enfileur de mots », selon Napoléon, eut une influence politique certaine entre 1789 et 1815, bien que désapprouvé par le *biltzar* pour ses revirements politiques. Pierre-Jean (1764-1823), l'un de ses neveux, était musicien à la cour de Paris ; l'origine du *garatisme*, ce parler sans « r » des Incroyables, lui est attribuée.

Plusieurs villages très proches d'Ustaritz conservent maisons ou fermes de pur style labourdin. C'est pourquoi on peut au moins visiter **Laressore** *(Laresoro)*, **Jatxou** *(Jatsu)* ou **Halsou** *(Haltsu)*, dont les églises contiennent en outre de belles pièces d'art religieux : statues du XVe au XVIIIe siècle, retables du XVIIIe.

Labourd oriental et Gramont

Bidache (Bidaxune) et le Bas-Adour
32 km E. de Bayonne

Cette ancienne possession des Gramont est considérée comme gasconne par les historiens mais appartient à la terre basque ; la Révolution l'incorpora *de facto* aux Basses-Pyrénées. Le fief du XIIIe siècle s'enfonçait en coin sur les sols de France, de Navarre et de Béarn. La seigneurie de 1409 (comté en 1563) ne prêtait plus allégeance aux rois dès ce XVIe siècle ; elle devint duché-pairie en 1648 et la paroisse principauté souveraine en 1716 : exemple d'une sévère perspicacité !

Les Gramont étaient installés à l'origine sur le territoire de **Guiche** (13 km N.-O. par Bardos) en une motte défensive, valorisée par le *bec* des rivières, porte du commerce fluvial. La forteresse n'a pas survécu entière mais les **ruines** d'une tour carrée (fin XIIIe) et de murailles défient encore l'horizon. Cruels seigneurs de ces lieux puis d'une plus vaste région, ils firent régner une domination crapuleuse et quasi absolue. Plus tard, la famille aura ministres d'État (Antoine III, en 1653) ou maréchaux de France (Antoine IV en 1724) entre autres dignitaires.

Le véritable **château** de Bidache ne garde de ses assises que la tour d'angle du XIVe siècle. Le reste du bâtiment actuel appartient aux XVIe et XVIIe, les constructions intermédiaires ayant en grande partie été incendiées début XVIe par les Espagnols du prince d'Orange. Il s'agit d'un ample corps en *pierres de Bidache* (ces carrières ont servi dans tout le Bas-Adour, jusqu'à Bayonne), axé sur un portail à gable écussonné. Les ailes s'opposent à ville et rivière au travers d'ouvertures parfois esseulées sur un comble fantôme. Cette œuvre décharnée vit pourtant les séjours de Charles X, de Catherine de Médicis, de Mazarin... Triste mais donc grandiose relique que ce château ! Réquisitionnée comme bien national sous la Révolution, la demeure devint hôpital d'arrière-poste sous la Convention. Mal géré par un responsable négligeant, le domaine perdit tout son prestige dans les années qui suivirent 1793 ; l'homme, assigné en jugement, détruisit sa vie et entraîna la perte du monument en 1795 : l'un périt au fleuve après avoir anéanti l'autre dans les flammes.

L'église Saint-Jacques (néo-gothique, fin XIXe) protège le caveau des ducs de Gramont et une chapelle vouée à Vincent de Paul. Le saint homme, qui dépendait du diocèse de Dax (Landes), reçut ici l'ordination mineure en 1596.

La principauté des Gramont s'étendait au-delà de Bidache ; ainsi, près de **Came** (4 km E.) se trouve le **domaine de Grand'Maison** (environ 3 km S.-E. du village), bailliage des souverains. Près de cette sénéchalerie, la *Ferrerie* rappelle qu'on y pratiquait les métiers de forge : les grandes forêts de Mixe n'étaient pas loin et le minerai débarquait par voie d'eau. Au sud, une baronnie se tenait à **Viellenave-sur-Bidouze** (16 km S.-E. de Bidache), où l'église (XIIIe) offre un très beau tympan en double cintre à clef pendante, de type hispano-mauresque.

Plaine alluvionnaire, le **Bas-Adour** est coupé de *barthes*, marécages maîtrisés à partir du XVIIIe par un réseau de fossés, les *barades*. On y pratique l'arboriculture fruitière, les pépinières, la maïsiculture, parfois l'élevage. L'architecture rurale est une combinaison d'influences basques et landaises : le **pays de Gosse** (Landes) est à 15 km de Bidache. Si dans cette dernière le plan de *ville-rue* et l'allure des habitations restent plutôt bas-navarraises, les fermes alentour deviennent gasconnes.

Hasparren (Hazparne)
25 km S.-E. de Bayonne

Isolé dans une très vaste région de bois, de landes et de monts où l'éclatement territorial est net, ce chef-lieu de canton reste malgré tout un carrefour géographique et commercial. L'on vient de loin pour y trouver ce qui permet de vivre et de travailler aux *quartiers*.

Les **landes**, quasi désertes, ne sont guère traversées que par la route qui mène à Briscous, ou par de rares voies secondaires. Vivement colorées à l'automne par l'or des fougères-aigles et le vert sombre des ajoncs, ces collines préfigurent les crêts du Sud. Par grosses taches, les chênaies septentrionales n'ont pas cédé place à ces actuelles *touyas*, parcourues par les chevaux et brebis venus d'*en haut* passer la mauvaise saison. La **route impériale des cimes** (route Napoléon, 3 km O. du centre) rejoint Bayonne par une crête. Elle culmine dans le *bois de Faldaracon* (176 m). Décidée pour raisons stratégiques par Napoléon Ier, cette voie qui relie l'Adour à Saint-Jean-Pied-de-Port est devenue un bon itinéraire touristique.

Le point fort de l'**église Saint-Jean-Baptiste** (1875) est la *stèle romaine* (IIIe siècle apr. J.-C.), scellée sur un mur extérieur. Son texte

Francis Jammes conçut à « Eyhartzia » son « Livre des Quatrains ».

61

Rondeurs bucoliques
en pays d'Hasparren.

latin y décrit l'affranchissement ethnique des neuf peuples du sud de
la Garonne, dont la réunion consti-
tue la *Novempopulanie*.

Le temps des légions a passé.
Les collines voient s'installer les seigneurs de Sault au château d'Ur-
curay (*Urkoi*) (XVIᵉ-XVIIᵉ), entièrement ruiné fin XIXᵉ. Ces féodaux,
aux droits exceptionnels en dépit
de l'allodialité du Labourd, auront
une haute influence locale. En
1784, c'est la *révolte des femmes* ;

elles manifestent contre les projets
de rétablissement de la gabelle et
ne sont contraintes au silence
qu'après harangue du curé et qua-
drillage de la ville par les soldats.
Dans le même temps, Fausto et
Juan d'Elhuyar, nés dans une ferme
des environs (qui serait encore
debout), découvrent le tungstène
(1783). Et l'abbé Diharce de Bidas-
souet est l'un des premiers à recher-
cher l'origine de la langue basque
vers la Sibérie. Ses écrits (1825),

La déclaration
de constitution
de la Novempopulania.

parfois erratiques, n'en restent pas moins intéressants à divers titres.

Rien de particulier n'apparaît en ville concernant le passé *manufacturier*, démarré par des tanneries familiales (XVIIIᵉ) puis très développé depuis la fin du XIXᵉ avec la fabrication des chaussures. L'activité, en déclin depuis des années, combinait avec bonheur artisanat, industrie régionale et maintien à la terre : beaucoup des ouvriers étaient aussi fermiers.

Hasparren prend allure de petite ville sans en développer les erreurs. Elle est bien labourdine par son modelé, ses couleurs, son fronton, ses rues paisibles ouvrant sur une campagne contiguë. Peut-être cela a-t-il décidé le poète-romancier F. Jammes à établir, maison « *Eyhartzia* », sa résidence préférée (1921-1938). Celle-ci, au cœur du jardin public ombragé, a été transformée en **musée** du « Patriarche ».

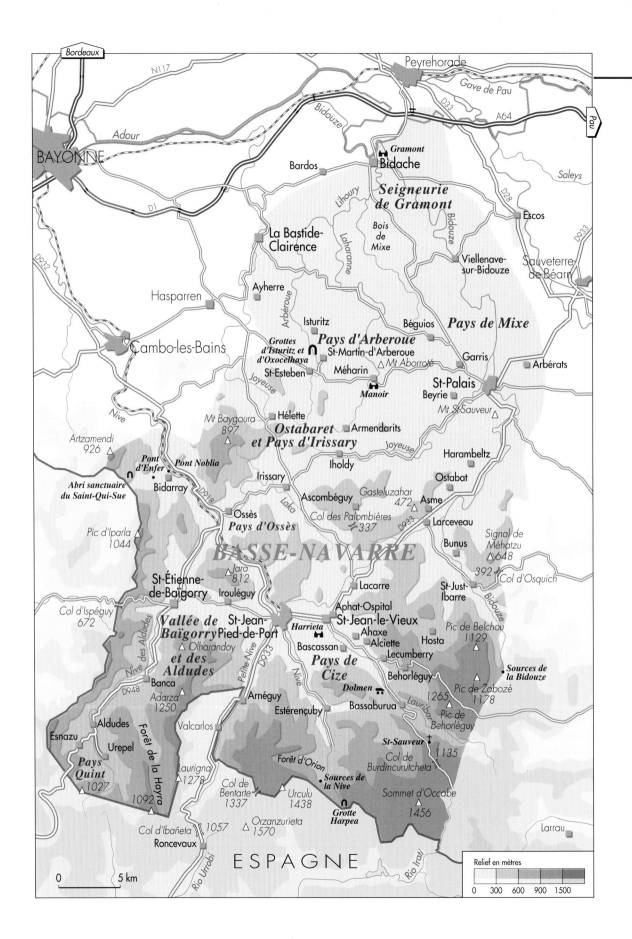

Bordeaux

Peyrehorade

Gave de Pau

N117

Bidouze

D33

A64

Pau

Adour

BAYONNE

Bardos

Gramont
Bidache

Seigneurie
de Gramont

Saleys

Escos

Sauveterre-
de-Béarn

D1

D932

La Bastide-
Clairence

Lihoury

Laharanne

Bois
de
Mixe

Bidouze

D28

Viellenave-
sur-Bidouze

D933

Ayherre

Arbéroue

Hasparren

Isturitz

Béguios

Pays de Mixe

Cambo-les-Bains

Grottes
d'Isturitz et
d'Oxocelhaya

Pays d'Arberoue

St-Martin-d'Arberoue

Garris

Arbérats

Joyeuse

St-Esteben

Méharin

△ Mt Aborroté

St-Palais

Manoir

Beyrie

Mt St-Sauveur △

Mt Baygoura
897 △

Hélette

Armendarits

Ostabaret
et Pays d'Irissary

Joyeuse

Harambeltz

Artzamendi
926 △

Nive

Pont
d'Enfer

Pont Noblia

Abri sanctuaire
du Saint-Qui-Sue

Bidarray

D918

Irissary

Iholdy

Ascombéguy

Gasteluzahar
472 △

Asme

Ostabat

Larceveau

Col des Palombières
337

D933

Signal de
Méhatzu
△648

Pic d'Iparla
1044 △

Ossès

Pays d'Ossès

Laka

BASSE-NAVARRE

Bunus

392 △ Col d'Osquich

△ Jara
812

Lacarre

St-Just-
Ibarre

Col d'Ispéguy
672

St-Étienne-
de-Baïgorry

Irouléguy

Aphat-Ospital

St-Jean-le-Vieux

Pic de Belchou
1129 △

Nive des Aldudes

Vallée de
Baïgorry

St-Jean-
Pied-de-Port

Harrieta

Ahaxe

Alciette

Hosta

△ Olharandoy

et des
Aldudes

Bascassan

Lecumberry

Sources de
la Bidouze

D948

Banca

Adarza
1250 △

Petite Nive

D933

Arnéguy

Pays de
Cize

Dolmen

Behorléguy △

Pic de Zaboré
1178

Esnazu

Aldudes

Forêt de la Hayra

Valcarlos

Estérençuby

Bassaburua

Lauribar

1265 △

Pic de
Behorléguy

Urepel

Pays
Quint
1027 △

Laurigna
△ 1278

1092 △

Col de
Bentarte
1337

Urculu
△ 1438

Sources de
la Nive

St-Sauveur †

Col de
Burdincurutcheta

1135

Forêt d'Orion

Sommet d'Occabe
1456 △

Col d'Ibañeta
1057

Orzanzurieta
△ 1570

Grotte
Harpea

Roncevaux

Larrau

Rio Urrobi

E S P A G N E

Rio Irati

0   5 km

Relief en mètres

0   300 600 900 1500

LA BASSE-NAVARRE (BAXE NABARRA) :

carrefour des voies jacobites et des pays basques

Degré d'altitude de ce qui est aux frontières : de la douane,
des sapins, des massifs de buis, de sonnantes brebis, des filets
tendus dans les cols pour arrêter la fougue des palombes,
des plans couleur de chartreuse et d'émeraude, des églises
où comme dans un pain complet la mairie s'incorpore...

F. Jammes

Le plus étendu de nos territoires basques (1330 km², 35 000 hab.) fut longtemps attaché à Pampelune et au royaume de Navarre, qui en contrôlera les vallées avec plus ou moins de bonheur jusqu'en 1512. Le passage à la couronne de France sous Henri IV et la dislocation des privilèges par Louis XIII marqueront le dernier grand tournant historique et géographique de cette ancienne *merindad de Ultra Puertos*, plus fédérative que réel bailliage...

Province bucolique de collines et de landes colorées au nord, devenue suprême dentelle de montagnes au sud, la **Basse-Navarre** s'enorgueillit en outre de ses deux grandes villes : Saint-Jean-Pied-de-Port, capitale historique au confluent des nives d'Arnéguy et de Béhérobie ; Saint-Palais, étape du *Camino*

Navarro, siège de l'ultime sénéchaussée de Navarre et centre commercial de la région.

En raison des géographies complexes et d'une histoire tumultueuse, naquirent plusieurs « pays », auxquels s'ajoutent, au nord-est, des fractions de la « souveraineté » de Bidache. Pratiques pour la découverte, ces divisions profitent à nos escapades : **Arberoue** (*Arberoa*), entre Hélette et Hayherre, d'où l'on peut continuer sur Labastide ; **Irissary**, avec trois seules communes, au sud du précédent ; **Ossès** (*Ortzaize*), entre Nive et Laka, zone à reliefs accusés et cours d'eau vifs ; **Baïgorry** (*Baigorri*), le plus méridional, entre Nive d'Arnéguy, Cize, Ossès et Baztan, avec une grande partie (Aldudes) enfoncée en Navarre ; **Cize** (*Garazi*), vaste étendue de trente communes, hameaux

Le clocher-fronton
de Saint-Esteben.

Notre-Dame d'Helette,
modeste dans sa forme
mais riche dans ses décors...

et écarts semés dans les sous-bassins du Laurhibar et des Nives d'Arnéguy-Béhérobie ; Mixe (*Amikuze*), collinaire, influencé par le voisin gascon qui ouvre vers Saint-Palais au confluent de Joyeuse et Bidouze ; **Ostabarret** (*Oztibarre*), allongé entre Hosta et Ostabat-Lantabat.

Passant de la plaine des Gaves réunis aux rondeurs d'Isturitz pour atteindre la barrière ruiniforme de son tiers méridional, les échappées de Basse-Navarre ne manquent ni de charme ni de gradation dans le relief ; n'y font pas non plus défaut vallons encaissés ou épaisses forêts (Hayra, Orion, Tartas...). Dans ce déploiement, *« la pourpre des vignes et le vert profond des chênaies créent une symphonie de couleurs chaudes à laquelle l'azur d'un ciel inoubliable achève de donner une tonalité ibérique »*, s'émerveille le géographe G. Viers. Une peinture que ne peuvent démentir les paysages d'Errozaté à Urculu et Artzamendi, grandis par l'orbe majestueux des vautours.

Dans ce berceau de civilisation (moustérien ; magdalénien : Ixturitze, Oxozelhaia, Arbéroue... ; énéolithique : Ahaxe, Garazi... ; Antiquité : Urkulu, Saint-Jean-le-Vieux, Ibañeta...) puis creuset de l'Histoire (Roncevaux où Roland *« s'est pâmé car la mort est proche »* ; carrefours de Compostelle : Lantabat, Ostabat, Arambeltz, Irissary, Aphat-Ospital... ; redoutes napoléoniennes : Lindus, Château-Pignon, Zerkupe...), les hommes d'aujourd'hui donnent à voir ce que des siècles de sagesse et d'acharnement leur ont appris : leurs villages *« qui ont la douceur du chocolat et l'âpreté des mines d'or »*, aux nobles et solides maisons ; leurs gigantesques églises veillées par d'étranges tombes discoïdales ; les rides millénaires des sites de pacage et de *faceries* ; les coutumes méticuleusement protégées.

L'Arbéroue

Helette (Heleta)
13 km S. d'Hasparren

L'Arbéroue (ancienne vicomté du XIe) est un pays individualisé de communes limitrophes du Labourd. Le paysage offre un modelé assez confus de terres anciennement défrichées ; encore rongée par l'écobuage, la lande a reconquis les sols maigres après d'intenses déboisements où, çà et là, de grosses fermes se sont installées.

Helette s'est développé dans un relief de collines, elles-mêmes ceinturées de dômes plus hardis : Baïgura, Garralda... L'intérêt de plusieurs **maisons** du bourg tient à leur architecture lapurdo-navarraise ; les

colombages, notamment, y sont assez partiels, mais les linteaux généralement bien armoriés. L'église **Notre-Dame** (XVIIᵉ) a gardé dans le cimetière contigu quelques stèles mais surtout des *croix peintes* (début XIXᵉ) fort caractéristiques.

Si l'hiver voit se dérouler le traditionnel *marché aux chevaux* (novembre, mars), l'été est l'époque de la *Fête-Dieu* qu'une vingtaine d'autres communes basques ont le privilège d'organiser. Cette rare manifestation, empreinte d'une convivialité exceptionnelle, remonte à la nuit des temps.

Aux pieds du village de **Saint-Esteben** (*Donestiri*, 11 km S.-E. d'Hasparren) serpente la rivière d'Arbéroue, à limons propices au maïs. Le bourg est éclaté en pâtés de maisons : l'église **Saint-Étienne** (XVIIᵉ) à l'abside polygonale se trouve à l'écart du centre, sur la route qui mène à Bonloc. Son clocher-fronton à courbes contient deux loges à cloches. Près de *maisons nobles* (« *Jaureguia* ») tout en pierres, le minuscule cimetière

... ainsi ces croix peintes XVIIIᵉ-XIXᵉ...

garde encore de très vieilles stèles (1704) de grande taille et de fortes croix (1692), gravées et pommetées.

Quelques maisons trapues dans un environnement paisible, des monts arrondis jusqu'au plus lointain et la présence de bergeries définissent d'emblée la vocation d'élevage d'**Isturits** (*Isturitze*, 4 km N. de Saint-Esteben). À 3 km au sud, voici **Saint-Martin-d'Arbéroue** (*Dona Martiri*) dont le fronton dessert d'un côté la place, de l'autre la cour de l'école. Mais la renommée du village et de ses environs tient au considérable réseau de salles et galeries creusé dans le calcaire du *Gastelu* par la rivière. Ces **grottes**, dites d'*Isturitz* et d'*Oxocelhaya*, classées monument historique, sont aménagées. Les premières fouilles d'Isturitz remontent à 1913 ; auparavant, seul le guano y était exploité. Occupées pendant des millénaires (- 50 000 à 10 000 av. J.-C.), elles ont livré un trésor préhistorique impressionnant qui va du *moustérien à l'azilien* : gravures pariétales et sur ossements, pointes de flèches et de harpons, dents percées, bâtons sculptés... Le secret de l'étage le plus inférieur, jusqu'ici bloqué par un siphon, a été percé en 1973 ; les chercheurs y ont mis au jour un gisement *magdalénien* avec des gravures de chevaux à licol (domestication ?). Découvertes en 1929-1930, les grottes d'*Oxocelhaya* (*Otxozelaia*, le plateau du loup) communiquent avec les précédentes par une galerie et un escalier ; elles sont remarquables par leurs concré-

... ou un admirable saint Jacques en tenue de pèlerin.

Les hommes du paléolithique ont gravé les parois d'Isturitz…

… tandis que les millénaires édifiaient ces impressionnantes concrétions d'Otxocelhaya.

tions en franges, draperies, piliers et autres sculptures naturelles, élaborées durant des milliers d'années.

À **Méharin** (*Mehaine*, 6 km E. de Saint-Esteben), le mont Aborroté sert de décor au beau **manoir** Renaissance auprès duquel sont groupées quelques fermes bien typées, à porcherie-poulailler attenant à l'habitation. Ce château (XVIᵉ) fiché sur le haut du village, est flanqué de poivrières, et son entrée fait face à un grand escalier qui ne manque pas d'allure. Ce fut la résidence provisoire de l'épouse morganatique de don Carlos, après les combats de 1834.

Labastide-Clairence (Bastida)
25 km O. de Bayonne

Louis X le Hutin créa cette *bastide* entre 1312 et 1314 près de la Joyeuse d'où l'on rejoignait Bayonne par le fleuve. le roi de Navarre assurait ainsi la limite septentrionale de ses terres. L'agglomération s'ouvrit aux Gascons, puis vinrent marranes et morisques chassés par les tribunaux d'Inquisition ; plus romanesque, la légende (?) rapporte que des Bigourdans, Claire de Rabastens et sa suite, fondèrent la ville vers 1300.

La prospérité de ce gros bourg, plusieurs fois siège des États navarrais (XVIIᵉ, XVIIIᵉ), a été considérable. Ville d'artisans et négociants, les forgerons, bonnetiers et chocolatiers s'y comptaient par dizaines ; ils en firent la réputation grâce aux marchés et foires tenus jusqu'à la Révolution sous les voûtes de la place aux Arceaux. Avec les derniers batteurs de clous, l'activité et la richesse de la cité s'éteignirent fin XIXᵉ siècle.

De *parler gascon*, proche des traditions landaise et béarnaise (jeux de quilles par exemple), Labastide,

Sous le préau-déambulatoire
de Notre-Dame reposent
les ancêtres.

assez oubliée semble-t-il, vaut incontestablement une visite. La **place centrale** rectangulaire s'agence sur le plan des villes fortes médiévales, les maisons à colombages reposant sur une succession d'*arcades* aux piliers épais ; le passage ainsi constitué (où se tenaient échoppes) est pavé de larges dalles et plafonné par d'épais parquets à solives patinées. Six rues pentues et exiguës sont greffées sur cette place. Elles sont bordées de constructions, dont les revêtements de moellons, des sculptures et les pans de bois (parfois à croisillons et écharpes) rivalisent d'ordonnance et d'esthétique.

Consacrée en 1315, l'**église gothique Notre-Dame-de-l'Assomption**, très remaniée (XVIIIᵉ), garde aussi un superbe porche roman. Sa grande originalité s'étale sous les pas ; protégées par les lourdes toitures d'un *préau-cloître*, des dizaines de pierres tombales forment, autour du bâtiment, un émouvant parvis sacré. Le *cimetière israélite* montre que la communauté juive, constituée sous Charles Quint, eut une grande importance (XVIIᵉ-XVIIIᵉ). Pour la petite histoire de l'édifice, sachons enfin que F. Jammes y effectua sa conversion (1906), acte qui devait l'orienter vers des écrits « humbles et sincères ».

Ces « couverts » rassemblaient
marchands et artisans de Gascogne
et Pays basque.

Le fronton et l'église,
tout un symbole ici !

Pays d'Irissary

Iholdy (Iholdi)

18 km S.-O. de Saint-Palais

A droite : La « commanderie »
d'Irissary, un proche patron
du bâti des « cases » de Navarre.

Une poivrière d'Elizabea.

Logé dans des collines maillées de chênes, Iholdy appartenait à la *Fédération des sept pays* autonomes et à biens collectifs de la *Terre d'Outre-Ports*. La Joyeuse et des ruisselets drainent le paysage de monts herbeux. Ceux-ci furent utilisés comme défenses et l'on rencontre encore les reliefs de ces **enceintes protohistoriques à gradins** ; l'une, sur le mont Elhigna, est classée monument historique. Au loin se profilent les saillants de Navarre, bleus dégradés sur moutonnement de coteaux véronèse.

L'attrait du village tient en ses **maisons** décorées et un original ensemble fronton-église-tribunes. Presque tous les linteaux portent inscrits la vie de l'*etche*, où lettres et symboles rehaussés de noir enrichissent portes et fenêtres, quand ils ne relient pas les ouvertures de deux niveaux. Une habitation, *Elizabelar* (XVIIe) — bien mal placée près du trinquet — se distingue par des croisées à meneaux, une entrée à gable et quatre poivrières en briques, coiffées par des toits coniques.

L'église **Saint-Jean-Baptiste** (XVIIe) qui ferme la place centrale est dotée d'un clocher-fronton altier en pierre de taille, matériau également

apparent à l'arrière de la nef (ouvertures ogivales). Les autres parois sont chaulées : ainsi apparaît mieux encore la lourde *galerie extérieure* de bois brun reposant sur trois piliers maçonnés et couverte de toits à ressauts.

La D 300 mène, 2 km vers le nord, à **Armendarits** (*Armendaritxe*) dans un espace de petites cultures, prés à moutons, champs de maïs et landes. Entre automne et hiver, *hego xuria*, le vent du sudest, transforme ce paysage en damier multicolore. Les anciennes **maisons** à linteaux sculptés ne manquent ni dans le bourg ni aux environs. À l'est, une route ombragée grimpe vers une *jaureguia*, ferme-château du XVIIᵉ.

À 6 km à l'O. d'Iholdy, la commune d'**Irissary** (*Irissari*), près de la vallée du Laka, s'appuie sur les collines et landes du Landibarre, non loin de la masse du Baïgourra. Le village ne paraît pas avoir la faveur touristique méritée. Pourtant, ses **maisons** des XVIIᵉ et XVIIIᵉ siècles retiendront l'attention avec leurs linteaux couverts d'annotations ; tel ce cadre d'une modeste habitation, où le lapidaire graphique et symbolique sont harmonieusement mêlés. Ce sens artistique, typique de la région, se retrouve dans l'art funéraire. Ainsi, d'élégantes *croix navarraises* blanches décorées de motifs géométriques noirs (XIXᵉ) se dressent dans le cimetière.

L'énorme **commanderie** des *chevaliers de Saint-Jean-de-Jérusalem* fut un *hôpital-prieuré*. L'édifice daterait du XIIᵉ siècle, mais on y fit des travaux importants vers 1605. Les murs sont en grès ainsi que les cadres d'ouvertures, à appuis et meneaux moulurés ; aux angles, à hauteur du second étage, les gros corbeaux à redans devaient supporter des échauguettes ou protéger des bretesses. Le pignon principal s'orne d'une porte monumentale à panneaux armoriés d'influence castillane, rehaussée d'une croisée à doubles meneaux. Sur un angle du bâtiment, une *croix-jalon* (dite de carrefour) est l'une des plus caractéristiques qui soit en Basse-Navarre.

Pays d'Ossès

Bidarray (Bidarrai)
16 km S. de Cambo-les-Bains

Ce bourg fut quartier d'Ossès jusqu'en 1677. Le pays qui commande l'entrée des Nives est aussi proche voisin de l'Espagne par le pittoresque sillon du tumultueux Baztan (l'*Ixuri*).

Le village s'est essentiellement développé à partir du XVIᵉ siècle ; il s'y trouve quelques belles et vieilles **maisons** (XVIᵉ-XVIIIᵉ) à entrées en arc surbaissé, copieusement soulignées de cadres de pierre. Ce type de

Sur une voie jacquaire, l'église tout en grès rose.

Les piles profilées du pont gothique sur la Nive.

porche de forte taille ouvre sur une vaste pièce aveugle nommée *eskats* ou *eskarats*, élément original de la maison basque.

L'église **Notre-Dame**, exemple formel d'art roman majeur, ne possède plus que des vestiges de fondements (vers 1130). Retouchée ou recomposée (début XVIIe, XIXe), portail, chœur, chevet et des baies absidiales à colonnettes (art pyrénéen) d'origine sont cependant parvenus jusqu'à nous. De même que le **pont Noblia** qui saute la Nive sur cinq arches gothiques, cette église rouge et ocre est symbole d'une voie de Compostelle vers Velate par le Baztan ibérique. Dans le cimetière, des *stèles discoïdales* à gravures très anciennes.

La croyance des Basques est profonde ; le village a donc eu ses heures de courage pour la défendre. L'épisode-légende de la mort du général la Victoire (juin 1794) ou les révoltes contre la saisie des biens de l'Église sous la troisième République restent gravés dans la mémoire des *Bidarraïtars*. De même, les très anciennes cérémonies de *Phesta-Berri*, la Fête-Dieu, sont demeurées inchangées. Le cortège qui accompagne le dais est haut en couleur, fantaisiste dans son plan et ses costumes, mais strictement religieux dans son esprit ; à tel point que danseurs à tabliers brodés et bonnets à miroirs ou faveurs, *volants*, *makilaris*, tambourins et autres participants poursuivent avec ferveur dans l'église leur procession musicale et chorégraphique.

Cerné par de nombreux crêts, Bidarray est un intéressant centre de randonnées. L'accès à l'**Artza-**

Une belle et solide maison
en pays d'Irissary, la maison
Sastriarena à Ossès.

mendi (926 m) se montre assez
rude mais permet une traversée de
paysages prenants dans une région
historiquement favorisée. Cromlechs et menhirs (- 500) y sont nombreux. L'**abri-sanctuaire du
Saint-Qui-Sue** (*Harpeko-saindua*),
sous l'éperon du Zelaiburu, est un
lieu où foi et paganisme se mêlent.
Cette cavité qui suinte d'eau sou-
lagerait les maladies de peau ; nombreux sont les visiteurs qui y accrochent des *ex-voto*, marques diverses
ou cierges. Selon la tradition, le
saint qui veille ici prendrait parfois
allure d'animal sauvage.

Dans ces étroites vallées,
autrefois sentier de contrebande
et chemin de la liberté pendant la
dernière guerre, l'érosion torren-
tielle atteint son comble vers le
pont d'Enfer (*Infernukozubia*),
bâti au XIVe siècle et reconstruit
début XXe.

Ossès (Ortzaize)
10 km N. de Saint-Étienne-
de-Baïgorry

Le *fossé* d'Ossès, placé entre les
crêtes d'Iparla et le massif de Baïgourra, s'étale en basse plaine de
sols fertiles, drainée par le Laka. Le
village, à *dispersion intercalaire*, laisse donc possibilité de satisfaire sa
curiosité d'un quartier à l'autre.
Cette visite offre la découverte de
maisons à colombages dont
quelques entrées gothiques souli-
gnent l'ancienneté en en rehaussant
l'esthétique. Plusieurs demeures,
légèrement à l'écart du bourg,
furent nobles et franches au Moyen
Âge (*Sastriarena*, *Haritzmendi*...) ;
elles comptent parmi les très beaux

Retable Renaissance sous voûte
conchyliforme à Saint-Julien.

Quelle élégance dans
ce pont XVIIe sur la Nive
de Baïgorry !

édifices régionaux, restaurés au début du XVIIᵉ siècle, et bien entretenus jusqu'ici.

D'origine romane, l'**église Saint-Julien** a été entièrement reconstruite vers 1560. Les maçons d'alors imaginèrent un curieux édifice, dont le clocher-minaret à sept pans et sa coiffure d'ardoises sont les parties les plus frappantes. Un assemblage patient et régulier de lits de grès bicolores ajoute beaucoup de délicatesse au gros œuvre. Par contre, le porche baroque à colonnades (1668) surprend autant que le volume assez austère (faibles décrochements, peu

Pays de Baïgorry

Saint-Étienne-de-Baïgorry (Baigorri)
11 km O. de Saint-Jean-Pied-de-Port

Terroir des limons et pierres rouges, utilisés ici dans la construction civile, militaire ou religieuse, l'ancienne vicomté est un bel ensemble de paysages, d'art et d'histoire basques. La ville, qui garde les portes de la sauvage **vallée des Aldudes** — couloir vers Pampelune — est un fleuron touristique.

Une série de *mégalithes* (*Elhorrieta* au S.-O. par exemple) subsiste de la civilisation pastorale d'avant l'âge du fer, et des *mines romaines* d'argent et de cuivre ont fonctionné dans le relief (**Banca**, 8 km S.). La naissance officielle de la ville n'apparaît qu'au XIe siècle : *Bigur*, dont le toponyme dérivera finalement en *San Esteban de Bayguer* (1253) puis *Vaygurra* (1446) ; l'éty-

Le château XVIIe d'Etxauz contient encore quelques éléments médiévaux.

d'ouvertures) de la nef. Les intéressantes lignes de l'intérieur mettent en valeur une décoration talentueuse. Ainsi des colonnes à cannelures et méplats, un escalier à vis et la somptueuse ornementation du chœur, dont le dôme et le retable sont les pièces maîtresses.

mologie avancée de la base euskarienne *Ibai-gorri* (la rivière rouge)
n'est pas formelle. En 1033, Sanche
le Grand rattache la vallée à la couronne de Pampelune ; vers 1249,
les vicomtes d'Etxauz sont maîtres
des terres : ils le demeureront
jusqu'au XVIIIe. Le plus connu
fut Bertrand (1556-1641),
évêque de Bayonne (1593),
homme de confiance de Louis
XIII. Sur une colline rive gauche,
on peut admirer son **château à
parties médiévales** (tours, escalier
à vis) ou Renaissance (échauguettes). En intermédiaire à cette

dynastie régionale,
survient la sépara-
tion des deux Na-
varres (1512) et
l'édification de la
ligne frontalière.
Le pays **Quint**
(*Quinto Real*,
ou *Kintoa* :
impôt du cin-
quième royal
sur les por-
cins, 1237),
autrefois neu-
tre indivis de
20 000 ha de

Romane et gothique,
l'église Saint-Etienne.

Rutilant d'ors,
son retable baroque XVIIe.

pâtures entre Espagne (val d'Erro) et France (Baïgorry), va devenir source de conflits entre les provinces. Violents incidents (1610, 1768) et négociations (entre 1613 et 1776) alternent, aboutissant (1785) à créer une ligne de démarcation, dite d'Ornano. Mais les luttes se poursuivront, affaiblissant l'économie du pays, entrecoupées par des faits de guerre où s'illustrera le futur maréchal Harispe (1793). En 1843, des razzias de bétail auront lieu, et seul le traité de Bayonne (1856) mettra un peu d'ordre. Actuellement, les troupeaux paissent en exterritorialité dans le Kintoa (et sur sols syndicaux), contre redevances (à Erro ou Baztan) ou conventions : herbages de l'amont frontalier. Curieusement, quelques familles françaises ont encore redevance foncière sur l'Espagne.

Baïgorry s'étire le long de la Nive des Aldudes, et a essaimé des quartiers à partir du bourg (*Bastida, Urdoze, Belexi, Guermieta...*). Certains eurent leur propre conseil au Moyen Âge ; d'autres prirent leur totale indépendance au XVIIe. Ainsi **Banca** (*Banca*), avec des vestiges de forges et fonderies les plus importantes du Pays basque (4 000 ouvriers au XVIIIe) ; les **Aldudes** (*Aldude*), où l'église du XVIIe garde le chapelet en or de Maximilien d'Autriche, ancien empereur du Mexique ; **Urepel** (*Urepela*), lui-même quartier des Aldudes jusqu'en 1865, où chaque année se renouvelle la *marque* des troupeaux. L'architecture communale est richissime ; de nombreuses *maisons nobles, palacios ou fivatières*, à linteaux ciselés, vastes portes pleine voûte

Ici commence l'énigmatique vallée vers le Kintoa.

Cette curieuse race de porc des Aldudes a bien failli disparaître !

et claveaux existent, tant dans le bourg qu'à *Okoze*, *Leizparze*... ; les chapelles (en général XVIIe), castelets (*Leizarazu*, début XVIIe) ou salles seigneuriales (*Urdoze*) ne manquent pas non plus.

La **maison rurale** est souvent cossue, allure provoquée par l'élégance des grès de parement (fréquemment bicolores) et leur importance ; des balcons sculptés, à hauteur du grenier-séchoir, constituent l'ornementation linéaire ; ici, le pan de bois est exceptionnel.

L'église Saint-Étienne (XIe) a été largement remaniée ; ainsi l'on y connaît des éléments romans (colonnes à chapiteaux), gothiques (chevet, ouvertures en arc brisé), baroques (retable fin XVIIe), voire « modernes » (porche, mobilier). L'édifice, bien que massif, devient presque élégant avec son clocher (1790) et ses clochetons pointus

Irouléguy, le plus petit vignoble de France, remonte au XIe siècle.

Un « jardin » de tombes
discoïdales.

émergeant de frondaisons. La porte
des *cagots* (les *agotak*), qui habitaient
à *Michelena*, a été murée et masquée.

Le **fronton** principal a été
construit en 1857 sur demande des
d'Abbadie d'Arrast (voir *Hendaye*),
puis exhaussé en 1924. Il est certes
moins célèbre que le **pont**
« **romain** » (en réalité du XVIIe),
d'une seule portée en fort dos d'âne.

Les environs réservent de superbes
points de vue sur monts et vallées. À
Adartza (1 250 m), les ruines d'une
redoute romaine dominent un panorama qui porte jusqu'en Arbailles et
Aspe. À *Oilandoi* (ou *Oylarandoy*,
933 m), une chapelle (1706), restaurée à plusieurs reprises (1941, 1985),
marque les restes d'un ermitage (1740-
1792). La **forêt de la Hayra**, enfin,
clôt le territoire des Aldudes, où veille
une redoute sur la limite des Navarres.

Sur la D 15, **Irouleguy** (*Irule-
gi*, 4 km E. de Baïgorry) a assis sa
renommée grâce aux cépages pro-
duisant le seul vin du Pays basque
Nord, rouge ou rosé, qui donne
« cœur à vivre et esprit pour quatre ».
Ce vignoble, déjà connu au
XIe siècle, fut attesté au XVIIe.

La Cize

Laurhibar (Vallée du)

5 km S.-E. de Saint-Jean-Pied-de-Port

La route du Laurhibar s'ouvre à Saint-Jean-le-Vieux, couloir d'accès sur la D 18 qui suit au S.-O. le tracé naturel du cours d'eau et prend appui sur les socles d'Iraty. À l'approche du **Bassaburua** (« la tête sauvage »), les terres accueillantes hébergent de charmants villages : ainsi **Ahaxe**, **Alciette**, **Bascassan** (4 km S. Saint-Jean-le-Vieux), à maisons navarraises (XVIIᵉ-XVIIIᵉ). Si l'église **Saint-Julien** d'Ahaxe vaut le détour pour ses éléments médiévaux, ce sont surtout les fabuleuses **chapelles romanes Sainte-Croix** d'Alciette et **Saint-André** de Bascassan qui

Parcours moutonniers de toujours.

Harmonie paysagère en Bas-Laurhibar.

imposent une visite. Très semblables d'aspect extérieur (mêmes artisans ?), leurs harmonieux volumes se complètent par une richesse intérieure peu commune : voûtes de bois peintes d'une main naïve mais vigoureuse, retables (XVIᵉ-XVIIᵉ) sur fond bleu nuit étoilé, panneaux ou médaillons, colonnettes torses ou ioniques, statuaire populaire expressive.

À **Lecumberry** (*Lekumberi*, 6 km S.), se trouve une très ancienne **maison noble** (*Donamartia*) en pierres rosées ; à **Mendive** (*Mendibe*), on verra l'**église Saint-Vincent** (vestiges romans, restaurée XVIIᵉ) et **le dolmen de Gastenia** (chemin à hauteur de *Bastida*) dans une région de transhumance néolithique (les « *alchubide* ») ; à **Behorleguy** (*Behorlegi*), la **chapelle Sainte-Engrâce**, à statues polychromes, dont une sainte au port de reine (XVIᵉ) vaut aussi l'arrêt.

Remontant vers Iraty, c'est l'entrée dans « l'enfer du Lauribar » (G. Viers) ; le chemin se cabre alors, passe au **col d'Haritxcurutche** (vers 800 m) puis sur le replat de Saint-Sauveur. La **chapelle Saint-Sauveur** (partie de l'abside, IXᵉ ; nef du XIIᵉ, remaniée aux XVIIᵉ et XVIIIᵉ) est perdue dans les pâturages près d'une *borde*. Édifiée, croit-on, sur un lieu de culte préromain, cet ancien hôpital de l'ordre

Le dolmen de Gastenia.

Enclos circulaires traditionnels vers Behorleguy.

Perdue dans l'immensité pyrénéenne, la tour-trophée d'Urkulu.

Vierge d'Aïncille.

de Malte a un original chemin de croix *extérieur* sur colonnettes. L'intérieur, plusieurs fois pillé, faiblement éclairé par des meurtrières, possède — ou possédait ! — des bois polychromes (saint Michel terrassant le dragon, Christ à baldaquin) et un chandelier de forme énigmatique. Dans le pierrier-reposoir externe, la statue peinte de la *xaindoa* de Beyrie a également disparu. Au-delà de ce sanctuaire, où chacun sait que rôdent de nuit des âmes pénitentes, s'ouvre l'épaisse forêt.

Saint-Jean-le-Vieux (Donazaharre)

4,5 km E. de Saint-Jean-Pied-de-Port

Pendant des siècles, ce village rivalisera avec Saint-Jean-Pied-de-Port afin de garder la suprématie de Cize et de ses *maîtres-ports*. La revendication n'était pas sans raisons, puisqu'y avait déjà prospéré l'une des rares garnisons romaines du pays : *Immus Pyrenœus*, gardant le pied d'Ibañeta. Ce **castrum** établi à la fin de la conquête d'Aquitaine était tactique (observatoire sur les Pyré-

nées) et technique (mines de haute vallée). Les légions y établirent ainsi leur hégémonie du Ier au IIIe siècle ; des fouilles ont mis au jour des constructions (thermes, allées pavées...) et matériaux divers.

Au cours du IIIe siècle, les invasions détruisent l'antique cité, tandis qu'évangélisation et pèlerinages décident de l'édification de nouveaux ouvrages autour de foyers de culte. L'église **Saint-Pierre-d'Usacoa** date des XIIe (portail très typé à chapiteaux historiés, bestiaire) et XIIIe siècles (arcs d'enfeux face nord). En partie ruinée lors des guerres de Religion, elle sera reconstruite vers 1610, puis restaurée fin XIXe. D'autres sanctuaires (Saint-Jean avait privilège de trois paroisses) ont traversé les siècles avec plus ou moins de heurts. Dans le *quartier d'Urrutia* (S.-O. du bourg) restent quelques vestiges d'une chapelle romane ; un peu au sud, le **château d'Harrieta** (XIIIe, très modifié fin XIXe) où se tinrent

les délibérations de la *junte* (assemblée de notables) de Cize. Au *hameau de la Magdeleine* (sortie O. vers Saint-Jean-Pied-de-Port), un édifice mieux conservé possède un portail ogival de grès rose et des enfeux voûtés. En sortie E. (vers Saint-Palais), la route frôle *Saint-Blaise*, sanctuaire roman (vers 1100) appelé **Aphat-Ospital**. De cette chapelle d'un hôpital-refuge de Compostelle, mutilée, reste le portail ogival à triple voussure, une croisée polylobée et l'appareillage méticuleux de la nef.

Le **pays de Cize** (*Garazi*) est une région de grande unité, avec une foule de villages et hameaux installés le long de la vallée N.-E., concentration assez inhabituelle en Pays basque. Ce terroir agricole doit sa maintenance économique au système de *syndicats* (plus de 16 000 ha en estives). Mais prairies et cultures enrichissent aussi les parties moyennes et basses. L'habitat y est élégant, l'habillage lapidaire recherché marquant l'influence navarraise du XIᵉ au XVIᵉ siècle. On verra ces belles demeures à claveaux et parements (XVIIᵉ, XVIIIᵉ), notamment à **Caro**, **Jaxu**, ou **Bustince-Iriberry** (*Buztince*). Près d'une vingtaine de maisons nobles, salles ou manoirs s'ajoutent à la construction plus classique de cette vallée. À **Ispoure** (*Izpura*, sortie N. de Saint-Jean-Pied-de-Port) par exemple, la puissante *Larrea* (XVIᵉ) sur les premières pentes de l'*Arradoy* s'orne de portes ogivales, de croisées à meneaux et d'une tour. Le château de **Lacarre** (*Lacarra*, 4 km N., XIIᵉ retouché au XVIᵉ, très remanié au XIXᵉ) contient un mobilier Empire et des souvenirs du comte-maréchal Harispe (1768-1855). Le château d'Apate à **Bus-**

Une croix-jalon navarraise : Gamarthe.

Par le pont Notre-Dame passait une partie des pèlerins de Saint-Jacques.

sunarits (*Buzunaritze-Sarrasketa*, 1 km E.) modifié au XVIIᵉ est paré d'armoiries. Bernard d'Etxeparre, vicaire général de Navarre, naquit, pense-t-on, à *Sarrasquette* ; il est l'auteur d'un des plus anciens recueils de poèmes à la gloire de la « langue des Vascons » (1545).

Visitez les églises d'**Ainhice** (*Ainiza* : statues XIIIᵉ, enfeux), d'**Aincille** (*Aincile* : Vierge du XIVᵉ), de **Gamarthe** (*Gamarte* : tableaux, lutrin de bronze), de **Bussunarits** (statuaire)…, puis partez à la recherche des croix-jalons sur gradins et fûts ; il en existe à plusieurs croisées d'anciens itinéraires jacobites : les plus belles sont à **Gamarthe** (*croix de Galzetaburu*, « le début de la chaussée » : elle borne aussi la fin du pays de Cize, la moitié du chemin entre Soule et Labourd) et à **Caro** (XIXᵉ, à Christ naïf et Vierge, « *peut-être un des sommets de l'art populaire basque* », selon B. Duhourcau).

Par Caro, Saint-Michel et Honto, se gagnent plein sud les tracés de plus en plus effacés (ou goudronnés) de la *voie romaine* et de la *route Napoléon*. Les restes de la **redoute de Château-Pignon** (1 085 m, XVIᵉ-XVIIIᵉ) et ceux de l'étrange **tour d'Urculu** (1 419 m, trophée pompéien ou forteresse archaïque ?) représentent l'importance historique qu'eurent ces passages et ces montagnes.

Saint-Jean-Pied-de-Port (Donibane Garazi)

34 km S.-E. de Cambo-les-Bains

On ne peut qu'être élogieux pour cette ville où chaque construction suscite de l'intérêt, où chaque pas remonte le temps.

La cité prit naissance fin XIᵉ début XIIᵉ siècle sous la dynastie des Sanche, rois de Navarre. Au

XIIIᵉ, un « garde des ports » gouverne ce qui n'est encore qu'une place forte, mais maintient l'étau sur la confluence des Nives et du Laurhibar en *Ultra Puertos*. Un château commande la position, dont Charles le Mauvais fera en 1367 un site privilégié ; Saint-Jean devient en outre demeure épiscopale des évêques (rattachés au roi de Navarre, donc à Clément VII, pape d'Avignon) lors du Grand Schisme d'Occident (1375-1417). Maintes fois assiégée de 1512 à 1530, la bourgade passe aux mains des rois d'Aragon et de Castille, puis de France. Réduite, elle est abandonnée à demi ruinée lors de la retraite de Charles Quint, puis à nouveau dégradée pendant les guerres de Religion ; les armées calvinistes de Montgomery brûlent sainte Eulalie, exterminent les prêtres (1569). Pourtant, la rénovation civile reprend ses droits et le

chevalier Antoine Deville, ingénieur militaire, commence une réhabilitation de la citadelle à partir de 1643. Contrairement à ce qu'il en est dit, Vauban n'est en rien dans cette construction : il se contentera, en 1685, de juger les travaux inaptes à résister aux attaques. Ses propres études ne virent qu'une exécution partielle, de 1716 à 1728, les redoutes du Génie (1778-1794) transformant plus tard Saint-Jean et ses environs en vraie forteresse. Ceci lui permettra de résister remarquablement aux assauts de Wellington et Mina, avant que ne survienne la reddition à Louis XVIII en 1814.

La **citadelle** domine la ville et la Nive. Ce belvédère à bastions obtus couvre l'emplacement primitif du château médiéval (donjon rasé en 1684). L'entrée principale, par la rue de la Citadelle, fait face à l'ouest. Cette *porte du Roy* est rehaus-

sée d'un clocheton baroque, tandis qu'en avant-poste un arc garde le premier saillant. Les bâtiments intérieurs, autrefois corps d'officiers, soldats ou locaux de réserves, sont devenus un pacifique collège : l'ouvrage fut acheté en 1936 par la Ville. Le fortin aurait pu souffrir d'austérité ; il est au contraire allégé par les glacis ombragés d'énormes arbres, les chemins de ronde, demi-lunes et courtines permettant promenades et vues intéressantes.

Les **remparts** (remaniés XVIIIe et XIXe), percés de passages et portes, donnent accès aux rues et quartiers hauts, parfois par des escaliers à poternes. La *porte du Marché* conserve un arc ogival et l'appareillage des premières fortifications ; la *porte Notre-Dame*, près de l'église, est un autre vestige de ces murailles du XVe.

Ce passage fait face au **pont Notre-Dame** (pont Vieux), courbe de grès violet à tablier en léger dos d'âne ; les *allées d'Eyheraberry* débutent à hauteur de cet ensemble. Le **pont Neuf** (1900), aboutissant place du Général-de-Gaulle, donne vue sur la rivière cristalline, qui concentre la foule des visiteurs. L'arche du pont Vieux, le reflet des anciennes maisons aux balcons débordant de fleurs, la vénérable église composent un décor sans pareil. Enfin, le **pont d'Eyheraberry**, très arqué, étroit, n'est pas « romain » mais fut plus simplement jeté vers 1634..., ce qui n'ôte rien à son esthétique.

L'**église Sainte-Eulalie-d'Ugange** (XIe-XIIe), dont des vestiges romans sont replacés sur l'hospice, assura le rôle paroissial. L'**église Notre-Dame** (dite aussi : du Bout-du-Pont ; Saint-Jean à sa fondation) reprit cet office après avoir été chapelle de quartier. Remontant au XIIIe siècle, l'édifice gothique a subi de nombreuses transformations. Le chœur ogival de proportions *rayonnantes* est relativement dépouillé malgré des chapiteaux, baies à feuillages sculptés, et piliers de grès rosé se détachant sur un fond blanc. Le portail *flamboyant* à colonnettes date en partie de la fin du XVe (tympan refait en 1860), tandis que la nef à contreforts fut surélevée vers 1869.

La **rue d'Espagne** (vieille rue Saint-Michel) montre, bien alignées et serrées, des maisons de type navarrais ; les plus modestes n'en sont pas moins enjolivées par de larges cintres en grès d'Arradoy, parfois bicolores. Cet axe fut (et reste) très commerçant : les linteaux, cartouches, abouts de poutres décrivent naïvement les métiers : barbiers, maîtres serruriers ou bourreliers, boulangers, notaires, et

authentifient propriétaires, dates de construction ou de réparation (1710 à 1789). La *maison des États de Navarre* (1610, monogramme IHS) servit aux délibérations de ces États entre 1758 et 1789.

La rue de la Citadelle (vieille rue San Pedro) est encore plus prolifique en beaux et vieux immeubles (1510 à 1830). Chaque détail frappe par son art, même si quelques édifices méritent une attention plus prononcée. Les étages d'*Arcanzola* comportent un superbe remplissage de briques en épis entre pans de bois à peine dégrossis ; c'est la maison natale (1531) de Jean de Mayorga, jésuite martyrisé en 1570 au large des Canaries par des corsaires calvinistes. La *maison des Évêques* (1584) aurait abrité (la date du linteau est peut-être celle d'une rénovation) trois prélats « dissidents » en 1383, 1385 et 1413. À ses côtés, l'immeuble austère se désigne comme la *prison des Évêques*..., où aucun ne fut incarcéré ! Datant du XVIe pour le plain-

pied, du XIIIe pour le sous-sol (?), on ne sait trop de l'histoire de ce mystérieux cachot. Le niveau rue fut salle d'arrêt au XIXe et comporte six cellules. La salle basse, accessible par des marches usées et glissantes, est une cave gothique à voûte sur doubleaux, à peine éclairée. La présence d'un réduit sinistre, de chaînes à boucles et de carcans muraux suggère l'utilisation de ces lieux sans réelles archives.

Sur la place du Général-de-Gaulle (du Marché), la *maison Mansard* (XVIIIe, actuellement hôtel de ville), de pierres taillées avec blasons armoriés, fait face aux remparts. On a récemment déplacé le bas-relief en bronze (1934) relatif à Juan de Huarte, médecin (1529 ?-Madrid, 1590), précurseur de l'eugénisme. Ici naquit encore le grand avocat politicien Charles Floquet (1828-1896), célèbre en outre pour un duel où il blessa grièvement le général Boulanger. La ville regorge encore de monuments et d'informations ; ainsi la *rue de l'Église* (du

Vert et mouvementé, le pays de Cize.

Marché), le *quartier d'Ugange*, le haut *quartier d'Uhart* comptent parmi les circuits à envisager. Et les foires d'été ou les marchés hebdomadaires ouvrent des prétextes supplémentaires à ces itinéraires...

La proximité de l'*Altobiskar* (Angarda Rollan médiéval) et de l'unique **collégiale** (XIIᵉ-XIIIᵉ) de **Roncesvalles** (*Roncevaux* ; *Orréaga*, 30 km S. par **Uhart-Cize**) s'associe à un haut fait de l'histoire de France, mêlé de beaucoup de légende. C'est en effet ici que, le 15 août 778, seraient tombés Roland et son arrière-garde. Le souvenir de ce guet-apens dressé par les montagnards navarrais refusant l'autorité carolingienne ne s'est pas effacé. À vous donc de le revivre tout au long de la percée du *Valcarlos* qui mène à *Pampelune*.

Pays de Mixe

Saint-Palais (Donapaleu)
29 km E. d'Hasparren

Cette ville occupe depuis le début du XIIIᵉ siècle une situation privilé-giée entre Joyeuse et Bidouze ; le Béarn et les Landes se rejoignent au nord, l'Océan ou l'Espagne ne sont qu'à une heure de route. Ces avantages en firent un carrefour commercial au nœud des domaines de Navarre, de Gascogne et de France ; on frappa même des monnaies dans cette capitale de Basse-Navarre des XVIᵉ et XVIIᵉ siècles, qui connut cependant des revers : guerres et ravages (XVᵉ-XVIᵉ), répressions révolutionnaires (elle se nomme alors Mont-Bidouze) et napoléoniennes...

Saint-Palais s'affiche en centre très commerçant, ni désuet ni empêtré de faux modernisme. Il draine tout ce que le monde agricole et artisanal contient dans la région ; le marché est ici une fête renouvelée chaque semaine, même si les transactions demeurent animées, voire impitoyables.

Entre deux de ces foires, vient le moment propice pour apprécier, dans un calme retrouvé, le point de vue ménagé sur la rivière ; non loin,

La maison-noble Derdoy-Oïhenart.

Un superbe linteau historié.
Musée de Basse-Navarre, Saint-Palais.

émerge le clocher de l'**église Sain-te-Madeleine** (fin XIXᵉ) où ont été rassemblés divers objets d'art de l'église Saint-Paul, désaffectée. Les détours de la promenade conduiront à la **maison des Têtes** (salle d'Erdoy, *Behoteguia*) aux figurines sculptées dans les murs, représentation de personnages connus (Henri II, Henri III...) ou mystiques. Les armes du propriétaire, l'historien Arnaud d'Oihénart (1592-1679) apparaissent sur une porte latérale. Cet humaniste — aussi bibliothécaire des ducs de Gramont — a laissé une masse de poèmes, proverbes, ouvrages et transcriptions, déposés à la Bibliothèque nationale. Le **Musée historique de Basse-Navarre** (1986) permet de mieux comprendre Saint-Palais, ses attaches et ses environs, grâce aux sections qui y sont présentées (ville, province, pèlerinages). Près du **mont Saint-Sauveur** (275 m, 2 km S.) passait en effet un chemin de Compostelle dont on peut imaginer le tracé et les détours, aidés par la **stèle d'orientation** (1964), dite de *Gibraltar*.

Francis Jammes, qui vécut quelques années d'enfance rue du Palais-de-Justice, aimait cette vallée de « *la Bidouze, glauque et lente dont les jonchaies au crépuscule favorisaient les concerts et le clapotis des grenouilles...* ». Il est vrai que le pays est agréable et riche, parsemé de villages attirants.

Passons au moins par **Arbouet-Sussaute** (*Arboti-Susota*, 5,5 km N.) à l'église ornée d'un beau portail roman ; dans la région de **Camou-Mixe** (5 km N.) dont l'habitat transitoire annonce le Béarn sans renier le Pays basque ; et surtout à **Garris** (*Garuze* ; 2,5 km N.-O.), aux superbes habitations, chefs-d'œuvre d'architecture et témoins de la prospérité du bourg, qui eut château et gouverneur ! Ce renom, dû aux foires régionales, s'éteignit peu à peu tandis que Saint-Palais, sur autorisation de Jehan d'Albret, prenait le pas sur les commerces et

Garris a conservé de magnifiques maisons « bourgeoises », tout de pierres ou de colombages.

Un leveur de pierre... médiéval.
Musée de Basse-Navarre, Saint-Palais.

professions bourgeoises (notaires, chirurgiens, gros marchands...). La **place de Garris** aux chênes multi-centenaires voit encore en août une très grande foire à bestiaux, la plus ancienne du Sud-Ouest. La maison *Pédelux* (1643), restaurée avec goût, rehausse ce cadre de verdure ; on y remarque des briques artistiquement disposées entre les colombages des étages. Cette structure originale réapparaît dans toute la rue principale. Les constructions, plus ou moins cossues, datent surtout des XVIIᵉ et XVIIIᵉ siècles ; l'ornementation sur pierre (abouts de murs, belles têtes sculptées) ou sur bois a été privilégiée par les artisans d'alors et favorisée par les riches propriétaires (*Urdosia, Pelegrinia*, maisons nobles du XVIIᵉ). Opulence qui laissa probablement indifférents les soldats des troupes de Wellington et d'Harispe. Leurs affrontements firent, non loin d'ici, plus de 500 victimes en 1814, prélude à la chute de Napoléon.

L'Ostabarret

Lantabat (Landibarre)
15 km S.-O. de Saint-Palais

Cette commune dont aucun village ne porte le nom s'étire sur près de 10 kilomètres au long d'un bras de la Joyeuse. Elle y sème ainsi une poudre de *quartiers* et hameaux, anciennes paroisses isolées dans bosquets et landes. Un collier d'élévations borne territoire et horizons ; à **Gazteluza-har** (472 m, « *le vieux château* ») restent les importants terrassements d'enceintes protohistoriques, tandis qu'au col **des Palombières**

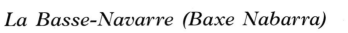

(337 m) se pratique la traditionnelle chasse au filet.

On n'aura pas manqué de voir l'église à clocher-fronton de **Saint-Martin**, à galeries extérieures sous auvent, mais c'est en poursuivant l'étroite route qu'on rejoint — ou presque — le bout du monde à **Ascombéguy** (*Azkombegia*) : la voie s'achève dans ce hameau de quelques dizaines d'âmes, acculé sur une ligne de collines ; on vit ici comme en marge du temps, les porcs croisent les moutons dans l'unique rue : à son entrée, une *croix-jalon* édifiante, Christ symbole et naïf dont les bras sont soutenus par deux visages humains. À l'opposé, la modeste église possède un cimetière grand comme un mouchoir de poche, où veillent *stèles discoïdales* et *croix navarraises*, certaines très anciennes (1643, 1649...).

La région ne manque pas d'églises rurales au charme indéniable. Ici l'église de Saint-Martin à Lantabat.

Ascombeguy : art lapidaire d'exception sur cette croix de carrefour.

Ostabat-Asme (Izura)
13 km S. de Saint-Palais

La discrète situation d'Ostabat (à l'écart de l'axe Saint-Palais - Saint-Jean-Pied-de-Port) aurait pu laisser le village dans un oubli feutré. Pour peu que l'on s'y penche, son histoire en décide autrement. L'Ostabarret, vert, vallonné et confortablement boisé, regroupe huit communes ; celle d'Ostabat a donné son nom au pays. L'agglomération est mentionnée vers 1140, et sa charte de *bastide* date de 1196 ; théâtre de belligérances, elle s'entoura d'ouvrages de protection, rasés en 1228 par Sanche le Fort, roi de Navarre. Seuls quelques **vestiges** (angle sud du village) subsistent, d'autant que pillages et incendies (1523) gâtèrent encore ce capital immobilier. Les halles historiques (1607) concordent avec l'activité besogneuse de la cité sous Henri IV ; et bien des marchands ont habité les maisons jointives (XVIIe au XIXe) de la place et des quatre passages qui y donnent. Des gouttereaux moulurés, chaînes d'angle, linteaux artistiques, boiseries sculptées et balcons décorent nombre de ces logis.

L'église néo-gothique **Saint-Jean-Baptiste** (fin XIXe) n'a pas connu le carrefour de trois des quatre principales routes jacobites (les *jakobe bidia*) : celles de Tours, du Vézelay et du Puy, qui rejoignaient aussi la voie romaine d'Antonin, Bordeaux-Astorga. C'est dire l'importance d'Ostabat (l'*Hostavallem* du Moyen Âge) du IXe au XVIIIe siècle, passage de millions de pèlerins à cape, gourde et bourdon qui gagnent ensuite l'Espagne. Plus de la moitié des désignations de maisons du bourg a pour origine la fonction dévolue à cette cause. Dans les environs, divers repères concrétisent cette zone de convergence. Près de **Larceveau** (*Larzabale*, 15 km S. de Saint-Palais), le hameau d'*Utxiat* eut son hôpital-prieuré, dont les biens furent reportés au XVIIIe à l'hôpital de Saint-Palais ; des *discoïdales* intéressantes (première moitié du XVIIe) sont à signaler. **Bunus** (*Bunuze*, 6 km O.

Tout appelle à la plénitude
dans ces regards
sur l'Ostabaret.

d'Osquich) et **Hosta** (5 km S. de Bunus), gardiens de linteaux anciens (1716), et croix-jalon à figurine naïve (1669), furent des étapes provisoires et isolées, pas forcément sûres.

Mais c'est surtout l'émouvante **chapelle Saint-Nicolas d'Harambeltz** (*Arambels*) qui fixe singulièrement l'attention. L'accès au *prieuré-hôpital médiéval* s'effectue par le GR ou par un chemin qui prend sur la N 133 (9 km S. de Saint-Palais). Par le bois épais d'Ostabat, on atteint une clairière sommitale où s'est construit le bâtiment. Le clocher-mur, un porche dallé à portail surbaissé, l'entrée voussée (XIe-XIIe) à chrisme, étoile et croix de Malte, sont le prestige du sanctuaire, privilégié par Charles le Mauvais. L'intérieur est naïf et fastueux. Le plafond cintré et des lambris peints (XVIIe) à bas-reliefs, un fabuleux retable (XVIe-XVIIe) à colonnes torses, pampres et motifs stylisés, des statues (saint Jacques, Vierge à l'Enfant, bois dorés du XVe) forment un réel musée d'art, dont la valeur s'oppose à une dégradation paradoxale. Dans le *cimetière*, de très belles stèles, certaines à rosaces ou monogrammes mariaux, datent du début du XVIIe. Le *hameau* est un isolat où subsistent quelques agriculteurs et les descendants des derniers *donats*, chargés (depuis un millénaire) de l'entretien des lieux saints. L'ancienneté des maisons est significative : « Etcheverria » existait en 984 ! (rebâtie en 1786, voir le linteau).

Le **château** de Pé-de-Latxague (1 km S.-O. d'Ostabat) est tristement devenu domaine agricole. Mais son allure médiévale (XIVe-XVe) vaut d'y passer. Latxague devint ambassadeur des papes d'Avignon, confident d'Agnès de Navarre et mourut en croisade. À peu de distance au sud, le hameau **Ibarre** du village de **Saint-Just** (*Donaixti*, 10 km S.-O. d'Ostabat) vit naître Michel Garicoïts (1797-1863), prêtre canonisé, à l'origine de la fondation de séminaires en Pays basque et Béarn. Une chapelle rappelle son apostolat.

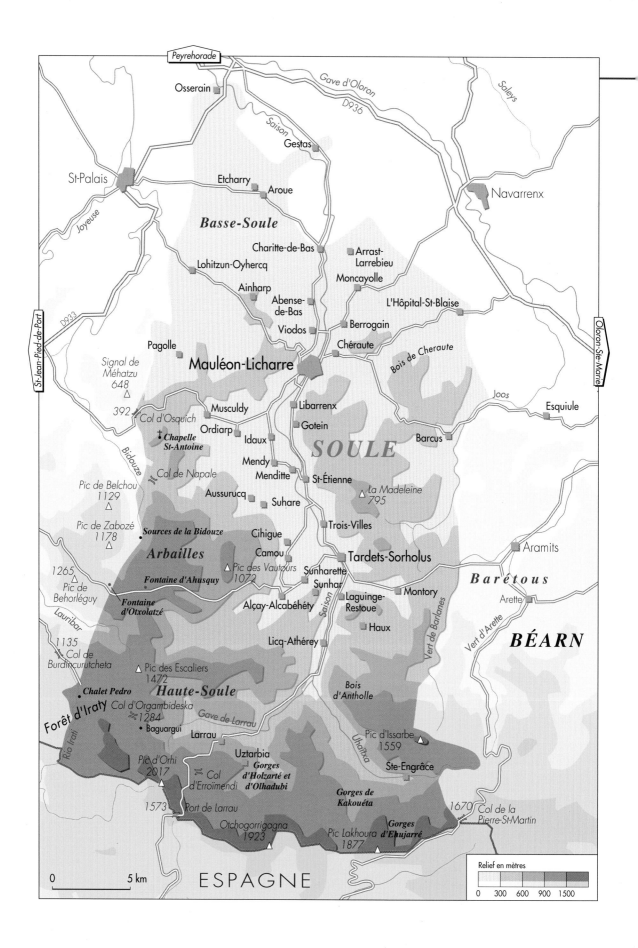

Peyrehorade

Osserain

Gave d'Oloron

D936

Saison

Saleys

Gestas

St-Palais

Etcharry

Aroue

Navarrenx

Joyeuse

Basse-Soule

St-Jean-Pied-de-Port

D933

Charitte-de-Bas

Arrast-Larrebieu

Lohitzun-Oyhercq

Moncayolle

Ainharp

Abense-de-Bas

L'Hôpital-St-Blaise

Oloron-Ste-Marie

Viodos

Berrogain

Pagolle

Chéraute

Bois de Cheraute

Mauléon-Licharre

Joos

Signal de
Méhatzu
648 △

Musculdy

Libarrenx

392 ⌇ Col d'Osquich

Esquiule

Ordiarp

Gotein

Bidouze

† Chapelle
St-Antoine

Idaux

SOULE

Barcus

Mendy

Menditte

St-Étienne

Col de Napale ⌇

Pic de Belchou
1129 △

Aussurucq

Suhare

La Madeleine
795 △

Pic de Zabozé
1178 △

Sources de la Bidouze

Cihigue

Trois-Villes

Arbailles

Camou

Tardets-Sorholus

Aramits

1265 △

Pic des Vautours
1072 △

Sunharette

Fontaine d'Ahusquy

Sunhar

Barétous

Pic de
Behorléguy

Fontaine
d'Otxolatzé

Laguinge-Restoue

Montory

Arette

Lauribar

Alçay-Alcabéhéty

Saison

Vert d'Arette

Vert de Barlones

BÉARN

1135 △
⌇ Col de
Burdincurutcheta

Haux

Licq-Athérey

Pic des Escaliers △
1472

Haute-Soule

Bois
d'Antholle

Chalet Pedro •

Col d'Orgambideska

Uhaïtxa

Forêt d'Iraty

⌇1284

Gave de Larrau

Pic d'Issarbe
1559 △

Rio Iraii

• Baguargui

Larrau

Pic d'Orhi
2017 △

Uztarbia

*Gorges
d'Holzarté et
d'Olhadubi*

Ste-Engrâce

⌇ Col
d'Erroïmendi

1573 ⌇ Port de Larrau

*Gorges de
Kakouéta*

1670 Col de la
Pierre-St-Martin

Otchogorrigagna
1923 △

Pic Lakhoura
1877 △

*Gorges
d'Ehujarré*

ESPAGNE

0   5 km

Relief en mètres

0   300   600   900   1500

LA SOULE (ZÜBEROA) :

l'authenticité des hommes, la mémoire des pierres

Réguliers comme des automates, les Souletins exécutaient des pas compliqués et rapides, sur un rythme triste. Par instants, un saut nerveux les élevait de terre, tous ensemble ; alors leurs petites blouses plissées, bizarrement courtes, s'éployaient sous leurs bras comme des jupes de ballerines et ils étaient si légers qu'on ne les entendait pas retomber.

P. Loti

Bout du monde autant que « cœur basque », la **Soule** est la plus petite (800 km²) et la moins peuplée (1 500 habitants) des terres d'*Euskal Herria*. Essentiellement pays de montagnes, elle se compose de *dégairies* appartenant à trois anciennes *messageries*, commodes à conserver pour la visite : **Arbailles** (*Arballa*), **Haute-Soule** (*Basabürü*), **Basse-Soule** (*Pettara*). Les frontières de *Züberoa* furent en grande partie dessinées par la tradition pastorale et les voies de transhumance ; au nord, la province touche le pays de Mixe, à l'ouest la Basse-Navarre, à l'est le Béarn dont elle relève administrativement par la circonscription d'Oloron. Orgueilleusement relevées au sud, les Pyrénées — qui bordent Soule et Navarre — portent déjà leurs premiers grands sommets : Orry (2 017 m) et Anie (*Ahuñamendi*, 2 504 m), pic sacré des Basques.

Virginale et voluptueuse, la Soule regorge de landes perchées et d'estives isolées, de belvédères (Ozkix, Bosmendietta, la Madeleine, Otxogorrigagna...), de gaves, de cascades et de sources reculées (Bidouze), de vastes bois tourmentés (Arambeaux, Arbouty...) et de forêts séculaires (Irati, Arbailles), de gorges titanesques (Kakouetta, Holçarté, Olhadubi, Ehujaré) où *« l'ombre elle-même est lumineuse »* (F. Jammes).

Concentré naturel de sites grandioses, haut lieu de légendes où *Laminaks* et autres « génies » abondent, toute la région garde en outre un fonds ethnologique sans pareil ;

Chef-d'œuvre
hispano-mau-
resque à
influences
byzantines,
l'église possède
un clocher-
lanterne.

trame dialectale singulière, vie culturelle au passé millénaire mais toujours vivace, passion de la terre concourent à pérenniser l'endémisme de jeux, sauts et chants (*berter-retxen kantoria*) ainsi qu'une tradition de spectacles — carnavals, pastorales, mascarades — sans équivalent ailleurs.

Pays de pasteurs, de conteurs et de pèlerins, il fut aussi celui des hommes acharnés à gagner puis à conserver leur totale liberté ; fière de sa victoire sur

les Francs d'Ahrenberg, du curé Matalas ferraillant contre les collecteurs régaliens, du *silviet* revenant aux « maîtres de maison », de ses passeurs sous Guernika, la Soule a su garder témoignage de ce passé guerrier ou nobiliaire : château de Mauléon, « hôtels » d'Andurain de Maytie ou du comte de Tréville, maisons nobles de Moncayolle, d'Aussurucq, d'Ordiap...

Guerre et paix s'entrechoquant, paganisme et foi se mêlant, voici également le temps des nécropoles (*baratz* d'Irati, d'Aussurucq...), des camps (*gastelus* d'Etcharry, de Sauguis, d'Alçay...), des rares vestiges d'une romanisation ratée (Tardets, Barcus...) à l'encontre d'une richesse exceptionnelle en monuments chrétiens romano-byzantins, romans, d'églises *trinitaires* — spécifiques à la région —, de chapelles et sanctuaires.

Une richesse que l'on retrouve dans les pierres des maisons et l'architecture de nombreux villages ; ne citer que Ainharp, Barcus, Haux, Larrau, Ordiarp, Sainte-Engrâce, c'est rester dans l'arbitraire !

Basse-Soule

Hôpital-Saint-Blaise (L')
(Ospitale Pia)
13 km N.-E. de Mauléon

C'est à la porte du Béarn qu'est assoupi le village, regroupé dans une dépression près du Lausset, cernée par les bois de Gurs, de Josbaig et de Chéraute.

Un tel effacement n'a heureusement pas fait oublier l'admirable église *romano-byzantine* des XIIe-

XIIIᵉ siècles, à clocher-lanterne central, dont on ne trouve nul autre exemple en Pays basque. L'édifice ravit le regard par ses volumes, appréciables tant dans leur totalité qu'en leurs détails. Sur plan de *croix grecque*, les corps contrebutent sur une partie axiale dont la croisée détermine la superbe *coupole octogonale* : elle est tendue par une nervure en étoile, chaque couple d'arcature reposant sur des corbeaux moulurés. Un oculus, des croisées à linteaux polylobés et des percées de type *mudéjar* (art de claustras hispano-mauresques des XIIᵉ-XVᵉ) ajoutent une lumière chaude, cependant tamisée contre les parements de pierre des maçonneries intérieures. Le portail roman en marbre d'Arudy a bénéficié de la restauration sérieuse (1904) d'un sculpteur béarnais. Il est judicieux qu'on ait aussi pensé à améliorer la visite par une animation lumineuse et sonore ; elle permet de mieux connaître cette église sans équivalent.

Saint-Blaise fut une étape secondaire de Compostelle par la voie d'Arles, et Gaston III de Foix en fut le mécène au XIVᵉ siècle. Aujourd'hui, près des **maisons** à galeries couvertes et toits à coyau, qui préfigurent le proche Oloronais, se perpétue le pèlerinage des éleveurs. La foire passée, le calme retombe sur ce sanctuaire unique.

Le portail roman.

A l'entrée de Soule : Mauléon.

Mauléon-Licharre (Maule-Letxarre) et le Bas-Saison
23 km S.-E. de Saint-Palais

Après un parcours montagneux difficile, le Saison entre en conquérant dans la capitale de la Soule ; encore verrouillé entre rocs et vieilles bâtisses qui profilent vocation et passé industriels de la ville, le fleuve se libère au **quartier de la Sablière**. Son cours majeur s'ouvrira alors au travers d'une ondulation bocagère, miroir du piémont basque, où moutons *manex*, *basquaise* et *basco-béarnaise* passent une partie de l'hiver. À hauteur de Lichos, « *lou gabe suzoo* » rejoindra le Béarn.

Mauléon doit son édification à ce qu'en **Haute-Ville**, on pense être un *oppidum* ; les traces en sont nébuleuses. Mais il s'est érigé en

Le Malus Leo protégea les vicomtes de Soule dès le XIe siècle.

lieu et place un **château fort** (XIIᵉ, remanié XVIIᵉ). Les « ruines » de *Malus-Leo* (le mauvais lion) surveillent ville et vallée. Cet ouvrage, dont les cachots et canons sont à présent muets, est encadré de tours elliptiques, et accessible par une rampe à trois arches menant au pont-levis. La vieille ville bénéficia de cette protection et se développa vers le XIVᵉ siècle. On peut y voir certaines *demeures de caractère* (croisées à meneaux, porches en anse de panier, portails de cours...). La règle du *clocher trinitaire* souletin n'a bien sûr pas échappé aux bâtisseurs de l'église **Notre-Dame-de-Haute-Ville** (XVIᵉ-XVIIᵉ), bloquée entre des maisons.

Vassal d'Aquitaine dès 1023, le site est marqué de l'autorité du roi de Navarre, des ducs de Gascogne (1257-1307) et de la bannière anglaise (1307-1449). Assiégée par Gaston IV, la place capitule en 1449, déterminant dans sa chute celle du reste de la Soule. En 1463, ville et province échoiront à Gaston de Foix. Mauléon (mais non Licharre) fut gérée en franchise par des jurats, baillis ou potestats jusqu'à la Révolution. Longtemps cité bourgeoise, la ville conserve en **Basse-Ville** plusieurs beaux immeubles.

La **demeure** du capitaine-châtelain (dite **de Montréal** : XVIIᵉ-XVIIIᵉ), gouverneur du « Païs de Soule » est maintenant l'*hôtel de ville*. Le château Renaissance d'Andurain (« hôtel » **de Maytie d'Andurain**, évêque d'Oloron, 1598-1623) est une imposante bâtisse de pierres à toit en bardeaux de châtaignier. Tout sert à l'enjoliver : baies à meneaux, portes à colonnades, balcons aux fers forgés sophistiqués, généreuses lucarnes à frontons. À l'intérieur, les cheminées de marbre, une collection d'*in-folio* et une exceptionnelle charpente robuste complètent la valeur du lieu. La **place centrale**, ombragée par les tilleuls des **allées de Soule**, est close par le *fronton*. Sur la suivante, d'où le vieux château apparaît en son entier, la **croix-Blanche** en marbre alvéolé (XVIe) marquerait le siège de la cour de Licharre, démocratie

Témoin des richesses de la Renaissance, l'« Hôtel de Maytie ».

rurale d'assemblées locales, le *silviet*. Peut-être est-ce là aussi que fut exécuté « Matalas » : B. de Goyenetxe, curé de **Moncayolle** (*Mitikile*, 6,6 km N.-E.), excédé par les tributs à payer au château, rassembla une armée de paysans en 1662. Mais défaits et trahis par les soldats du roi et la noblesse, les mutins furent pendus ou envoyés aux galères, leur chef décapité.

Le développement de Mauléon est lié à la *tradition industrielle*, artisanale à ses débuts (1830-1850) : cordiers et tisserands fabriquent chez eux des sandales revendues par des commerçants. Dès 1850, ces façonniers se regroupent en ville, se mécanisent (1860-1880), secondés par une main-d'œuvre étrangère (saisonniers navarrais et aragonais) de plus en plus importante dans la première moitié de notre siècle. La production ira s'amplifiant : plusieurs millions de paires de sandales sortent des manufactures vers 1930. Puis survient, avec le caoutchouc pour semelles, la reconversion ; les Souletins du canton prendront en charge, en même temps que les sandaleries (vers 1950), cet élargissement aux articles soudés (tel le célèbre *Pataugas* !). Aujourd'hui fort concurrencée (Chine surtout), l'industrie chaussante reste fragile, mais encore assez représentative de la région.

Dans les collines des environs, ne manquent pas certaines maisons caractéristiques : toits d'ardoises, murs sans boiseries, avant-toits à génoises, influencés par la plaine béarnaise. En descendant la vallée (régions de **Charitte-de-Bas** [*Charikota-Pe*], d'**Arrast-Larrebieu** [*Larrabile*, environ 10 km N.]), les couvertures de

Exemples formels
de clochers
trinitaires :
Abense (haut)
et Charitte (bas).

tuiles plates seront alors presque celles de l'Oloronais.

L'église du Bas-Saison garde encore sa marque régionale : le *fronton trinitaire*, si fréquent en amont. L'une des plus rustiques est peut-être celle d'**Abense-de-Bas** (*Omize-Pe*, 4,5 km N.) à clocher-calvaire qui supporte un édicule à califourchon sur le toit de la nef, et dont le porche (latéral et non frontal) fait face à un pont à deux arches.

Cheminant vers le Béarn voici, dans un glorieux cadre de coteaux, **Barcus** (*Barkoxe*, 15 km E.), berceau des conteurs et *pastoraliers* ; Pierre Topet (début XIXe) est resté l'un des plus célèbres. Et l'on continue d'être souletin à **Esquiule** (*Eskiula*, 7 km E. de Barcus), village pourtant enclavé au Béarn et dépendant d'Oloron !

S'immerger dans la tradition :
quelques marchés à voir et à faire

Ahetze : marché tous les dimanches matins ; brocante chaque troisième dimanche du mois.

Anglet : bio et spécialités chaque jeudi matin ; fleurs le premier dimanche de chaque mois ; brocante le deuxième dimanche de chaque mois.

Bayonne : halles tous les matins ; dimanche : rue Sainte-Catherine ; vendredi : Saint-Esprit ; brocante tous les vendredis matins au Petit Bayonne.

Biarritz : halles tous les matins.

Boucau : produits fermiers et artisanat le samedi matin.

Cambo : brocante le mercredi... mais pas en été.

Ciboure : produits régionaux tous les dimanches matins de mai à octobre ; brocante tous les lundis de juin à septembre inclus.

Espelette : le mercredi matin toute l'année et le samedi matin en saison.

Guéthary : brocante de juin à septembre inclus, le samedi matin.

Hasparren : marché un mardi sur deux et tous les samedis matins.

Hendaye : mercredis et samedis matin aux halles ; marché « ancien » le samedi matin à Socoburu ; brocante chaque quatrième dimanche du mois.

Mauléon : tous les mardis matins (haute ville) et samedis matins (basse ville, de 6 à 10 heures !).

Saint-Jean-de-Luz : aux halles les mardis (hors saison) et le samedi matin (toute l'année).

Saint-Palais : tous les vendredis matins.

Saint-Jean-Pied-de-Port : tous les lundis.

Tardets : hors saison un lundi sur deux ; en saison tous les lundis matins.

Urrugne : tous les mercredis de juin à septembre.

104

Arbailles, Iraty et Haute-Soule

Arbailles (massif des) (Arballeta)

20 km S.-O. de Mauléon

Fortin de rocs chaotiques, de plateaux déserts et de hêtraies séculaires, les Arbailles furent longtemps le réservoir de terreurs et sortilèges : oppressantes combes noyées de brumes persistantes, grottes, gouffres sans fond, sentiers sans but apparent et sans fin... Des êtres fantastiques hantent encore ces étendues, du moins l'affirme-t-on : *Baxajaun*, l'homme sauvage aux épouvantables cris ; dragon de l'Aphoura ; *Tartaro* cyclope du Belchou ; *Mariaks* et *Laminaks*, bâtisseurs de dolmens, hôtes des fissures... Les voies de pénétration d'Aussurucq à Béhorléguy, de Burdin Olatzé à Licq ou Lacarry... font sans nul doute reculer ces esprits mais ont surtout rapproché (depuis 1970) beaucoup de *cayolars* des lieux de commerce du piémont : Tardets et Mauléon en Soule, Saint-Jean-Pied-de-Port en Basse-Navarre. Faut-il déplorer sinon la création du moins la prolifération de ces routes-saignées (plus de 150 km !) ou se réjouir des incontestables facilités qu'elles apportent aux bergers ? Cette vocation pastorale millénaire est évoquée par la présence constante des milliers de moutons, qui tracent au fil des ans leurs sentes ténues sur les croupes voisines.

Dans les défilés
de la Bidouze.

Sous les pâturages ou à flanc de rochers inaccessibles, la forêt couvre deux tiers du massif ; plus de 3 000 ha sont propriété de la *Commission syndicale du pays de Soule*. Là stagne une atmosphère chargée d'humidité qui a favorisé le maintien de plantes rares. Mais ailleurs, les plateaux sont arides et la moindre source se perd rapidement dans leurs entrailles. La région de **Camou-Cihigue** (*Gamere*) par exemple est truffée de cavités, paradis pour spéléologues. Les phénomènes d'érosion se traduisent aussi par des manifestations extérieures de surface, telles les *dolines* ; l'une, près du **pic de Zabozé**, est unique en France (800 m de diamètre et 150 m de profondeur). Les premiers hommes ont habité quelques grottes de la périphérie ; leurs ornementa-

tions pariétales — figures animales ocre ou brunes — ont été datées du magdalénien ancien. Non loin de Zabozé, les **sources de la Bidouze** jaillissent du Trou du Sorcier (*Lamina Ziloa*), alimentées par plusieurs résurgences. Ce site hydromorphe et vert contraste avec les *pelouses* sèches des plateaux d'Elzarré.

Plusieurs éminences dominent l'immense étendue, d'où les points de vue sont prestigieux. Du **pic des Escaliers** (1 472 m) en conglomérats sombres et ruiniformes, l'on saisit « *un des plus beaux et des plus vastes paysages de toutes les Pyrénées basques* » (Angulo). Le **pic des Vautours** (1 072 m), en calcaire lacéré par les éléments, ouvre panorama sur les pacages, la Haute-Soule et le Moyen-Saison.

Face à Ahusky,
le redressement
des Pyrénées.

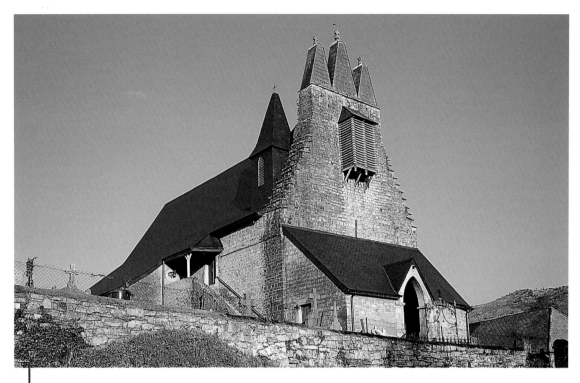

Le cœur des Arbailles a sa fontaine renommée, **Ahusquy** (*Ahuski*), où l'on venait au début du siècle, par un chemin malaisé, soigner la lithiase. Cette source a été de tout temps utilisée par les Basques ; à la fin du XIXe siècle, E. Reclus, médecin et frère d'un savant géographe, en fit connaître les bienfaits diurétiques au-delà des limites locales : le célèbre maréchal Harispe y avait déjà pris cure vers 1850. Ici se perpétuent, après le 15 août, les fêtes des bergers, où concours de saut et lancements de barre (la *palanka*) alternent avec d'autres jeux antiques.

Quelques petits villages sont établis en lisière S.-E. du massif inconfortable et, pour survivre, regroupent leurs hameaux, ainsi **Alcay** (*Alzai*) voisin d'**Alcabehety** (*Alzaibeheti*) et de **Sunharette** (*Zunaretta*). De rares œuvres d'art ornent leurs églises : retables poly-chromes, statuaire, peintures et lampes du XVIIe. Au N.-E., **Aussurucq** (*Alzuruku*) garde le souvenir de Pierre de Charitte, aumônier de François Ier, qui y construisit un manoir ; les ruines des **tours** (XVe) ont longtemps veillé sur ce passage vers Mauléon.

Iraty (massif d') (Irati)

24 km S.-E. de Saint-Jean-Pied-de-Port 27 km S.-O. de Tardets

À cheval sur Soule et Basse-Navarre, cette superbe et immense forêt se rejoint par Larrau ou Saint-Jean-Pied-de-Port. Les milliers d'hectares de *hêtraie-sapinière* ont toujours constitué une zone redoutée mais convoitée. Sa situation ne la rendait guère abordable, du moins tant que les voies d'accès demeurèrent interminables et périlleuses. Accroché entre ravins et torrents,

L'exploitation forestière en Soule reste une tâche ardue.

ciel et brouillards, encombré de passages rocheux surplombants, très enneigé l'hiver et inextricable autrement, ce lieu perdu ne fera pourtant pas trop reculer les premiers forestiers et ce dès 1629 ! Essayant de surmonter leurs inquiétudes (l'ingénieur Leroy affirmait en 1774 qu'il y vivait des hommes velus),

L'estive au col de Baguargui.

bûcherons, maîtres de forges, charpentiers de marine se heurtèrent aux complexités du terrain dès 800 m d'altitude. Ces difficultés allaient de pair avec une découpe territoriale aberrante, engendrée par la chute du royaume transpyrénéen de Navarre. La ligne de partage des eaux sera bizarrement conçue, rejetant sur l'Espagne une grande partie des terres (aujourd'hui : 18 000 ha) et faisant de cours d'eau (le *rio* Irati, affluent de l'Èbre) des rivières navarraises coulant en partie à contresens ; les dispositions de 1856 ne clarifieront guère les choses.

L'exploitation anarchique de la forêt commence aux grandes heures de la Marine du Roy, et sera poursuivie — navigation à voiles, arsenaux de Bayonne et Rochefort — entre le XVIIe et le début du XIXe siècle. Les rames des galères (hêtres) et les mâts (sapins) servi-

les forges du XIXe. On évacua alors de plus en plus de troncs (1927-1936, 1943-1953), non sans difficultés ; ce mode d'exploitation cessera définitivement en 1957.

Depuis une vingtaine d'années, plus de 50 km de tracés routiers ont libéré mais aussi démystifié l'un des plus grands boisements de hêtres d'Europe. Le secteur français est administré par les *syndicats de Soule* (à l'est) et *de Cize* (à l'ouest). On va de Nive à Saison par la forêt mais certains accès sont encore impressionnants, impossibles l'hiver sans l'aide du chasse-neige. Iraty a perdu un peu de ses secrets, de son silence et de sa sauvagerie, et voit des querelles régulières autour d'une pression cynégétique grandissante. Mais le complexe d'**Orgambideska-Baguargui** attire une fidèle clientèle, tant l'été que l'hiver. Il faut dire que le lieu est merveilleux de beauté sous le manteau nival, et offre un axe de randonnées grandioses aux autres périodes.

Au plateau d'Irati.

rent ainsi la flotte mais entamèrent le patrimoine arboré ; les fûts descendaient sur des *glissoires* vers la Nive, pour lesquels il fallut aussi dégager des espaces. Au début du XXe siècle, les *vidanges* se firent par sol sur les lignes pastorales (1900-1917) puis par câble d'acier de 13 km de portée, aboutissant à Mendive. Une scierie y avait remplacé la mâture, la verrerie et

Haut perché
en Val Senestre, Larrau.

Du col de Burdincurutcheta (1 135 m, par Mendive), on rejoint le plateau d'Iraty, aux vastes pâtures ; les troupeaux y sont nombreux à l'estive, mais beaucoup de *cayolars* disparaissent. Peut-être, comme le dit le berger de J. Ribas, parce que *« plus on fait de routes, moins les gens se rencontrent... »*. La voie file plein sud, passe à la **clairière Pedro** et laisse l'Iraty franchir seul la frontière ; l'asphalte meurt en effet dans la rocaille, comme si la montagne ne voulait plus de ce viol.

Les croupes virent passer les nomades dès l'âge de bronze. L'émotion est forte de penser que *tumuli* et *cercles de pierres* qui jalonnent les antiques chemins pastoraux voisinent avec les cayolars des **Escaliers**, les postes de chasse d'**Orgambideska** ou le restaurant de **Baguarguiac**. Plus à l'écart, vers l'**Occabé** (1 466 m, GR 10 près du chalet Pedro), *une des plus belles nécropoles mégalithiques* d'Euskal Herria reste solitaire et un peu oubliée. Somme toute, continuité ou anachronisme se côtoient ou s'ignorent en Iraty ; seule l'opportunité des besoins et des rythmes modernes le décide.

Larrau (Larraine)
18 km N.-O. de Tardets

C'est le dernier village perché du Val Senestre de Haute-Soule, encadré par sommets, croupes et forêts ; mais la vue plonge aussi sur d'impressionnantes vallées. Groupé sur un replat en lisière des pâturages et de la zone sylvatique, Larrau s'atteint par une route étroite en lacets qui longe ou surplombe le Gave, affluent du Saison. La poursuivant, on rejoint aussi la frontière espa-

La Soule (Züberoa)

Le profond goulet d'Holçarté.

Vertige, s'abstenir : 200 m de vide sous cette passerelle arachnéenne.

gnole (12 km S. ; vers Salazar ou Roncal) ou la forêt d'Iraty, à l'ouest.

Les maisons et leurs annexes sont ramassées, sans grandes ouvertures. L'isolement permet de garder toute la vérité des traditions. Les soirées de chants souletins à plusieurs voix, improvisées à l'auberge, ne sont pas rares ; l'une des plus vieilles chansons euskariennes — celle de Berterretxe (vers 1434) — n'est-elle pas née de l'histoire du bourg ? Les espaces pastoraux ont aussi leur patrimoine ; montant sur l'Espagne, la route passe devant quelques *bordes* trapues couvertes de *bardeaux* taillés à la hache, tandis que les *palombières* au faîte des arbres illustrent l'ancestrale chasse aux migrateurs.

Du **port de Larrau** (1 573 m) ou du **col d'Erroïmendi** (1 362 m) démarrent les itinéraires pour gravir le **pic d'Orhi**, altière sentinelle gazonnée, la plus élevée depuis l'Atlantique. Deux cuvettes glaciaires (face nord) et des crêts dénudés (avec une enfilade de postes de tir) jalonnent la montée qui s'achève sur les 2 017 m du sommet ; ce *synclinal perché* est un inoubliable belvédère sur la France et l'Espagne.

Par **Uztarbia** vers Amubi, un sentier difficile traverse de grands paysages où subsistent des *granges à portes cloutées*. Un autre parcours satisfait les plus exigeants. Près de l'auberge **Logibaria** (2,5 km sous Larrau), le sentier des **gorges d'Holzarté** progresse le long des saisissantes crevasses que les torrents ont taillées dans le calcaire. Ce ne sont qu'à-pics, parois lisses, vires et espaces vertigineux où s'accrochent de rares hêtres rabougris. Ces gorges, larges d'à peine quelques dizaines de mètres, emprisonnent, 250 à 300 m plus bas, les torrents d'Olhado et d'Olhabidia. Le fond de cet enfer liquide, l'*un des plus spec-*

L'austère collégiale romane de Sainte-Engrâce.

taculaires des Pyrénées, fut exploré en partie dès 1908 par le spéléologue E.-A. Martel. Aujourd'hui encore, remontée ou descente sont le domaine réservé des spécialistes chevronnés. Au confluent des deux branches, la **passerelle d'Holzarté** assure une liaison arachnéenne et pendulaire — sur 200 m de vide — avec l'autre versant.

Pour ceux que l'émotion et la marche auront creusés, un juste repli consistera dès lors à déguster à Larrau le salmis de palombes, accompagné de piperade aux cèpes et d'un authentique fromage, *ardi gasna...* ; art culinaire de ces montagnes souletines qu'on n'oublie pas.

Osquich (col d') (Oskixe)

14 km O. de Mauléon

Contrairement aux apparences, ce col géographique (392 m, Arbaille-de-Soule/Ostabarret de Basse-Navarre) et ses saillants (D 918 vers Mauléon) réservent une succession de magnifiques points de vue, colorés et tourmentés.

La **chapelle Saint-Antoine** (705 m, 1 h S.), lieu de pèlerinage, est un belvédère de choix sur les Pyrénées. Elle fut dressée sous le règne de Charles le Mauvais en 1385, qui concluait ainsi les efforts de réconciliation entre comtes de Luxe et ducs de Gramont. Au **signal de Mehaltzu** (648 m, 1 h N.), se trou-

vent les restes d'une enceinte à gradins, en surplomb sur la combe de Pagolle.

Ordiarp (*Urdinarbe*, 8 km E. d'Osquich), minuscule village de Petite-Arbaille, eut une commanderie-hôpital, un temps siège de Pierre de Charrite de Ruthie ; l'aumônier de François Iᵉʳ y accabla les paysans de dîmes et droits. La fière **église romane Saint-Michel** à absides voûtées émerge d'une dense végétation qui rehausse le très beau clocher-mur à porche. On accède à l'intérieur (statues du XVIIᵉ) par un plan incliné, posé sur une arche.

Une route accidentée mène plein sud au **col de Napale**, face aux Grandes-Arbailles. Zone réputée pour la chasse aux palombes, on peut y observer les derniers *chariots à roues massives* pour le transport de litières !

Sainte-Engrâce (Santa Grazi)

19 km N. de Tardets

Passé Tardets et Licq, la D 113 remonte la vallée de l'*Uhaïtxa* (la rivière aux pierres), laissant la branche S.-O. qui mène à Larrau. On ne traverse guère d'agglomération, mais des *quartiers* isolés : *la Caserne, Calla, Senta*, regroupant quelques maisons. Sur les pentes de ce *Val Senestre*, des atomes de fermes accompagnent une myriade de granges et de bergeries.

La solitude préserve des atteintes de la civilisation, un cirque pastoral de plus en plus resserré, où est érigé un prestigieux sanctuaire, l'ultime étape des pèlerins avant le franchissement des crêts vers Roncal et le *camino frances*. L'église (XIIᵉ, MH) est vouée au culte de Santa Gracia, devenue sainte

Engrâce. Noble espagnole victime des persécutions de Dioclétien et Maximin (IIIe), son corps fut déposé en la cathédrale de Saragosse. Des larrons substituèrent la châsse chargée de bijoux — qui contenait un bras — puis l'abandonnèrent en un lieu nommé *Urdaix*. Là fut dressé un premier oratoire. Le reliquaire disparut à nouveau au XVIe, les calvinistes livrant le bras au feu. Aussi, en témoignage de solidarité avec les Souletins, Saragosse compensa-t-elle l'inestimable perte par le don de l'annulaire de la main droite, restée outre monts. C'est la *relique* qu'on vient adorer deux fois l'an.

L'ancienne abbaye (décidée au XIe par les rois de France, d'Aragon et de Navarre), à demi-clocher, toits décalés et énormes contreforts (levés au XIXe lorsque P. Mérimée encouragea la restauration et fit classer l'édifice) est d'une beauté prenante. À l'intérieur, les piliers du transept et des absides portent des chapiteaux tronconiques sculptés en ronde-bosse. Leur art naïf mais expressif (*roman évolutif*) conte des scènes bibliques ou profanes. Ces têtes de colonnes ont curieusement été rehaussées de peintures rouges, jaunes ou brunes au siècle dernier. Le chœur (retable espagnol XVIe, autel XVIIe-XVIIIe ; vie et supplice de sainte Engrâce) et les absidioles sont isolés par une superbe grille de fer forgé ; cette pièce de maître serrurier (XIVe) protège aussi des statues et la relique de la sainte martyre.

Peut-on imaginer repos plus céleste ?

Les **cañons** de Sainte-Engrâce, explorés pour la première fois en 1907, sont parmi les plus prodigieux de France. La **gorge de Kakoueta** *(Kakueta)*, aménagée pour le tourisme, s'ouvre près du *pont d'Enfer* et remonte jusqu'à une exurgence, terme de la visite. Des passerelles ou des sentiers en surplomb sur le torrent créent un parcours impressionnant dans une faille de plus en plus rétrécie et profonde ; au « grand étroit », large de 5 à 10 m, le soleil ne filtre que 280 m plus haut ! Partout, une végétation exubérante envahit les parois où suinte l'eau. La gorge se poursuit au-delà du secteur touristique, que seuls des spécialistes peuvent remonter ; mais un sentier de crête (5 à 6 heures de circuit) permet la vision plongeante sur 4 km d'abîmes. Le **ravin d'Ehujarre** *(Uhaïtzarre)* se place à l'est, entre Calla et Senta. Moins réputé que le précédent parce que « mort » (il n'y a plus de circulation apparente d'eau), c'est pourtant une majestueuse construction naturelle ; au fond de cette auge profonde de 300 à 500 m, on peut randonner plus de trois heures entre des parois abruptes et sauvages.

Kakouetta, circuit impressionnant mais sans danger.

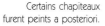

Certains chapiteaux furent peints a posteriori.

Haute-Soule,
le mariage
de l'eau et
de la roche.
La cascade de
Kakouetta.

Le château de Trois-Villes
servit à l'imaginaire
d'Alexandre Dumas.

Sur l'ouest, les cirques dégagés du **Lakura** (1 877 m) accueillent les troupeaux, qui se retireront à l'automne : l'hiver de Haute-Soule est rude et long. Sur l'est, c'est le domaine des immensités minérales d'**Anialarra** ; elles sont veillées par le dernier et plus haut bastion oriental, *Ahuñamendi*, le **pic d'Anie** (2 504 m), en terre béarnaise.

Tardets-Sorholus (Atharratze-Sorholuze) et le Haut-Saison
13 km S. de Mauléon-Licharre

La fondation de Tardets pourrait remonter à la période romano-bétique, quand fut élevé au **mont de la Madeleine** (795 m, 5 km N.) un autel (à Vénus ?). Le sanctuaire, devenu Sainte-Madeleine d'Aranhe (XVe), sera modifié fin XIXe, puis restauré en 1961. De ce dôme, où le point de vue porte sur Soule, Barétous et Pyrénées, appa-raît la ville longeant le Saison, ourlé de galets roulés.

Rues déclives, plan carré de la place et voies en rayons, maisons sur arcades, commerces sous passages voûtés, tout définit la *bastide* créée en 1280, sur le secteur resserré de la vallée. Si le tourisme a ouvert certains horizons, la vocation artisanale et de petite industrie reste un atout dans la commune. Les fabriques d'espadrilles et de linge basque, des ateliers de travail du bois (meubles régionaux) et un commerce important de fromages de brebis se partagent un marché exigeant, surtout sur l'Oloronais.

Le **château de Trois-Villes** (2 km N.), XVIIe, fut construit pour le comte-capitaine de Tréville, mousquetaire du Roy... et maître des forges de Larrau. Ce domaine d'« Elizabea », au centre d'un parc, est réalisé sur des plans de Mansart.

La **vallée du Saison** et ses écarts retiennent toute la richesse culturelle de Soule. Les nuances de

La langue basque

Facteur de cohésion sociale et liant du peuple, l'*euskara*, langue que « même le diable n'a pas réussi à apprendre », se pratique à hauteur de 25 % en Labourd, 59 % en Basse-Navarre et 62 % en Soule (bilingues *actifs*) ; les unilingues bascophones sont rares partout (1 à 2 % pour chacune des 7 provinces).
Langue *la plus vieille d'Europe*, peut-être issue de la préhistoire, elle n'a, dit-on, de réelles affinités qu'avec les caucasiques, notamment le géorgien, et quelques parentés avec le berbère ; hors ces hypothèses prises en compte, elle n'appartient pas au groupe indo-européen et ne doit aux parlers ibères, au sanscrit ou au latin que des « emprunts », directs ou non.

Le premier texte imprimé connu date de 1545, suivi d'une traduction du Nouveau Testament (1571) et du célèbre *Gero* de Pedro de Atxulár (1643).
Le basque, qui comprend 8 dialectes de base, perd sans cesse du terrain — notamment en Espagne — mais un renouveau se fait sentir. Au-delà des querelles internes (écriture normalisée, commune ou unifiée dite *batua*...), l'Académie de la langue basque (*Euskaltzaindia*), les écoles (*ikasto-lak*, créées en 1969), des cours pour adultes (*Gau Eskolak*) et quelques lycées permettent de devenir ou redevenir *eskaldun*, « celui qui parle basque ». Et, progrès oblige — les grands Lissarague, Atxu-lar, Etxahun, Chaho... l'auraient-ils imaginé ? — un CD-ROM *Euskara Atza eta Gaur* fonctionne sur 9 000 « pages ».

120

En vallée du Saison.

la langue basque y sont subtiles, les fêtes et cérémonies traditionnelles marquées d'une étrange personnalité. Telle est la *mascarade* (*ihauriti*), dont la thématique fait appel à un mélange d'événements historiques, de motifs païens ou chrétiens et de fantastique. La *pastorale*, autre forme de jeu convivial, se construit sur des règles parfaitement définies, que perpétuent ou renouvellent quelques maîtres de cet art théâtral. La **maison rurale** s'intègre admirablement dans cette région. Mais ne nous y trompons pas : malgré quelques empreintes orientales, la Soule est profondément euskarienne de visage et de cœur.

Une grande originalité de cette vallée apparaît également dans l'art religieux. Les églises romanes ne font pas défaut, et celles de **Laguinge-**

Restoue (*Liginaga-Atxue*, 3 km S. de Tardets), de **Sunhar** (Sunhare, 4 km S.), de **Haux** (*Hauze*, 7 km S.-E.) se signalent par leurs détails, (absides en cul-de-four, portails, ornements intérieurs...). Mais la curiosité principale réside dans la forme du clocher, ou *fronton trinitaire* : maçonnerie élevée à triple pinacle, dont la dent médiane est généralement plus haute (la Sainte Trinité). Le meilleur exemple est fourni par l'**église Saint-André** de **Gotein-Libarrenx** (*Gotane-Ibararne*, 10 km N. Tardets), très bel édifice du XVIᵉ ; l'intérieur (voussures en berceau, retable et chaire de bois dorés, statues...) vaut l'extérieur. Pour qui veut s'imprégner d'un héritage si remarquable, voir aussi celles d'**Idaux** (*Idauze*, 9 km N. par Menditte) ou de **Mendy** (*Mendi*,

Eglise de Restoue.

Saint-Jean-Baptiste de Haux,
romane à voûte gothique.

Dans l'église
de Sunhar.

1 km S. d'Idaux) par exemple. L'église de **Saint-Étienne** (*Donatzebe*, 5,5 km N.), au clocher-porche cubique à demi suspendu sur le pignon, fait exception au modèle de fronton-calvaire.

Terminons ce circuit informel du Saison par **Licq-Atherey** (*Ligi-Atereï*, 6 km S.) ; secteur apprécié des pêcheurs de truites et des adeptes du canoë-kayak ; et proposons d'en sortir par **Montory** (*Montoi*, 5 km E.). Ce village, dont l'**église Sainte-Marie** a un clocher-tour fortifié, marque la fin du Pays basque oriental ; quelques kilomètres au-delà, l'on entre dans le **Barétous**, première vallée des pré-Pyrénées béarnaises. La région, on s'en souvient, fut l'épicentre du *tremblement de terre d'août 1967*. Plus rien ne paraît aujourd'hui dans ce terroir où, de toujours, les agréables paysages bossus et colorés des deux provinces se sont amalgamés sans aucune discordance.

La bretèche à cloches
au fronton de Saint-Etienne
de Sauguis.

Gotein
et son
clocher-calvaire.

Aux portes du Barétous :
l'église forte de Montory.

Le majestueux drapé des pentes vers Aphanice (Arbailles).

INDEX

TABLE DES MATIÈRES

Version brochée

En couverture : Le port de Saint-Jean-de-Luz
avec la Maison de l'Infante.
En quatrième de couverture : Le pont et le château
de Saint-Etienne-de-Baïgorry.

Version cartonnée :

En couverture : La Nive et la tour de l'église Notre-Dame-du-Bout-du-Pont
à Saint-Jean-Pied-de-Port.
En quatrième de couverture : La plage et les Deux Jumeaux
à Hendaye.

Cartographie
AFDEC

Version brochée :
ISBN 2.7373.2184.0 - Dépôt légal : mai 1997
N° d'éditeur : 3571.01.06.05.97

Version cartonnée :
ISBN 2.7373.2257.X - Dépôt légal : mai 1997
N° d'éditeur : 3645.01.02.05.97